KB207363

파도가 사랑을 말하는 순간에

파도가 사랑을 말하는 순간에

지은이 김바다

발 행 2025년 02월 28일
펴낸이 한건희
펴낸곳 주식회사 부크크
출판사등록 2014.07.15.(제2014-16호)
주 소 서울특별시 금천구 가산디지털1로 119 SK트윈타워 A동 305호
전 화 1670-8316
이메일 info@bookk.co.kr

ISBN 979-11-419-9384-9

파도가 사랑을 말하는 순간에

김바다

파도가 사랑을 말하는 순간에

거북이는 죽고 싶어 죽었나

2017년

꿈을 꿨다. 거북이의 폐가 짓눌려 죽는 꿈.

잔혹한 꿈에서 깨어나 가쁜 숨을 헐떡였다. 다시는 꾸고 싶지 않은 꿈이었다. 긴 호흡을 늘어놓으며 옆에서 곤히 자는 하루를 바라봤다. 긴 속눈썹, 오뚝한 코, 팔과 다리 곳곳에 보이는 시퍼런 멍을 눈에 담았다. 바닥과 맞물린 어깨가 아린지 인상을 찌푸리고 있었다. 미간에 손을 올려 인상을 펴주었다. 맑고 순수한 하루의 표정이 마치 천사 같았다.

자는 하루를 두고 조심스레 자리에서 일어났다. 아려오는 발목을 절뚝이며 조심히 화장실로 향했다. 하늘은 아직 어두웠지만 학교에 갈 준비를 시작했다.

모두가 잠든 꼭두새벽, 집에선 샤워기 소리와 술병이 부딪치는 소리가 울려 퍼졌다.

"벌써 8시야?"

젖은 머리를 털며 아직 꿈나라에 있던 하루를 깨웠다. 두 눈을 비비며 자리에서 일어나 이부자리를 정리하는 하루였다.

"응. 얼른 준비하고 나가자."

잠긴 목소리로 웅얼웅얼 대답한다. 까치집이 된 하루의 머리칼을 정리해 주며 세수를 도와주고 수건을 쥐여주었다. 정갈해진 머리카락과 단정한 유치원복이 하루에게 잘 어울렸다.

"하루야 오늘 아빠 회식하고 오신대. 오늘은 누나랑 집에 오면 돼. 기다릴 수 있지?"

힘차게 고개를 끄덕이는 하루였다. 그런 하루가 너무 예뻐서 눈높이를 맞추며 해맑게 웃어주었다. 하루는 나를 따라 웃다가 이마에 짧은 입맞춤을 했다.

"누나. 다치면 안대…."

"당연하지. 우리 하루도 다치면 안 돼."

맞잡은 두 손이 얕게 떨렸다. 떨림과 함께 내민 새끼손가락에 자신의 새끼손가락을 거는 하루였다. 우리는 짧은 약속 끝에 집을 나섰다.

"하루야, 하루는 도망가고 싶다고 생각해 본 적 있어?"

나보다 어린 하루에게 이런 물음을 건넨다는 게 웃겼다.

"으음, 딱히 없는데!"

해맑게 웃는 하루를 보니 괜한 소리를 한 것 같아 미안한 마음이 들었다. 입으로 손가락을 갖다 대는 하루에 그러지 말라며 손을 잡았다. 이런 나를 보고 주변 사람들은 어떻게 남매가 그리 사이가 좋냐며 물었다. 하루와의 싸움은 생각지도 못할 일 중 하나였다. 하루도 나도 서로에게 있어 없어선 안 될 존재였기에.

"누나! 잘 가!"

학교에 도착 후 마지막으로 하루와 인사를 나눴다. 멀어지는 서로를 보며 마지막 인사를 나눴다. 교실을 들어서고 나서야 숨을 돌렸다. 아침 햇살을 맞으며 몸을 녹이고 흩날리는 나뭇잎을 보며 사라지는 인연을 야속하게 여겼다.

"봄하람, 여기서 뭐 해?"

익숙한 목소리가 들리는 곳으로 고개를 돌렸다.

"한지은?"

나와보라는 제스처를 하며 문 뒤로 사라지는 지은이였다. 지은이는 나의 생애 있어 둘도 없는 단짝이었다. 고요한 놀이터를 데려가고, 드넓은 바다를 데려가 세상의 따스함을 알려준 여자아이. 또한, 세상엔 영원함이 없다는 걸 알려준 아이였다.

다른 날과 같이 어김없이 반으로 찾아온 지은이는 양손에 묵직한 짐을 들고 있었다. 꽤 이쁘게 포장된 짐들이 눈에 들어왔다. 큰 선물 상자가 궁금해 지은이에게 뭐냐 물었다,

"이거 다 네 거야."

“이걸 왜 주는데? 밸런타인이야?”

내 말에 지은이는 장난치지 말라며 코웃음을 쳤다.

“오늘 네 생일이잖아. 내가 장난에 속겠냐. 엄마 아빠 졸라서 네가 좋아할 것들로 열심히 골라서 샀어.”

“오늘 며칠이야?”

“3월18일, 너 생일이라니까. 봄하람 뭐 잘 못 먹었어? 어디 아픈 건 아니지?”

“아니, 완전히 잊고 있었어….”

반에 있던 달력을 확인하니 정말 내 생일이었다.

“네가 태어난 날인데. 네가 잊어버리면 어떡해. 나 없었으면 어떡할 뻔했냐. 아무리 바빠도 날짜는 보고 살아라. 내가 없으면 너라도 네 생일은 챙겨야 할 거 아냐.”

지은이는 나를 보며 탐탁지 않은 듯 어깨를 들썩였다. 두 손에 들린 선물 상자를 손에 쥐여주었다. 꽤 무거운 선물에 화들짝 놀라 급히 손에 힘을 실어 들었다.

“태어난 날을 기념하는 것도, 하는 애들이나 하는 거지….”

“그러니까 하는 거잖아. 네가 태어난 날인데 기념을 안 해? 오늘은 나한테 최고로 중요한 날이니까 챙기는 거야.”

팔짱을 끼며 한숨을 내쉬는 지은이다.

“하여튼 한지은, 진짜 바보 같아.”

쓴웃음을 지었다. 이 상황이 좋은지 나의 웃음에 따라 웃는 지은이가 보였다. 잊고 있던 날을 축복받는 기분이란 어떤 말로 표현하기가 어려웠다.

챙겨주는 농도가 짙었던 지은이에 그나마 기댈 수 있었다.

항상 나를 우선시하던 지은이였기에 지은이에 대한 기대도, 애정도 깊었다.

"다음에 어떻게든 내가 선물해 줄게."

"됐거든. 봄하람 너는 너 일이나 잘해. 생일은 내가 챙길게."

"오는 게 있으면 가는 게 있어야지."

"됐거든요."

지은이는 꾸러기 표정을 지었다.

"고마워."

덕분에 매번 되뇌는 연습을 했다. 언젠가는 이 행복을 꼭 돌려주겠다고. 그런데 꿈도 꿀 수 있는 아이들이나 꾸는 거란걸 나는 일이 터지고서야 알았다.

소소한 하루가 기쁨으로 물들어 지나가고 있었다. 노을 진 하늘을 보며 오늘도 이렇게 마무리되나 싶었다. 등교할 땐 텅 비어있던 두 손엔 묵직한 선물 상자가 들려있었다.

띠링-

🖂 ㄱ.하루

[누나 언제 와?]

휴대폰으로 알림 소리가 들려왔다. 잠시 길거리에 멈춰 연락을 확인할 생각을 시도조차 하지 않았다. 또 엄마의 술을 사 오라는 연락일게 뻔했으니까. 두어 번 더 울리는 폰을 확인하지 않았다.

"잠시라도 행복할래. 미안해 엄마."

노을 진 하늘이 예뻤다. 흩날리는 벚꽃잎을 계속 보고 싶었다. 주책맞게 흐르는 눈물을 닦았다. 무심코 집어 든 꽃을 보며 울먹였다. 진한 내음이 코끝을 스쳤다.

사람 한 명 지나가지 않는 한적한 골목길을 걸었다. 깊은 밤에 점차 빠져들었다.

산뜻했던 밤을 기억하며, 천천히 집으로 걸음을 옮겼다. 무얼 잊어버리는지도 모른 채.

떨어지기 직전인 대문을 조심스럽게 열고 집을 들어섰다. 걱정과는 다르게 집에선 아무 소리도 들리지 않았다. 손에 들린 선물을 껴안고 조심스레 주변을 살폈다. 긴장했던 탓에 먹먹했던 숨을 몰아 내쉬며 가뿐한 마음으로 집으로 들어갔다.

"다녀왔습니다."

아무 소리도 들리지 않는 집에 온전히 내 목소리만이 퍼져갔다. 허공을 맴도는 인사말에 바로 하루를 찾았다. 하루의 인기척이 느껴지지 않아 순간적으로 이상한 생각이 머리를 스쳤다. 쏜살같이 등골을 타고 지나간 공포에 급히 건넛방으로 달려갔다.

마음으로는 아무 일도 아니길 바라면서 굳게 닫힌 문을 힘차게 열고 들어갔다.

"하루야…."

문을 열고 들어서 제자리에 주저앉았다. 안 좋던 예상은 빗나가지 않았고 눈에 들어온 상황은 처참하게 짝이 없었다. 구석에 박혀 쓰러져 있는 하루가 보였다.

술을 홀짝이는 엄마를 보고 소리치며 울부짖었다.

"이게 뭐하는 거야!"

어떠한 답도 돌아오지 않았다. 흐르는 눈물을 닦아내지도 못한 채 하루에게 달려가 죽어라 소리치며 하루를 깨웠다. 일어나라는 말 한마디면 바로 일어나 껴안기던 하루가 손가락 하나 까딱이지 않았다.

초조함에 몸이 떨려왔다. 아닌데, 하루 지금 일어나야 하는데. 오늘 약속했는데. 안 다치기로 약속했는데, 그제야 머릿속에 아침에 나눴던 말이 떠올랐다. 함께 집에 오자던 내가 떠올랐다. 깊은 늪에 빠진 것 같았다.

112에 전화를 걸기 위해 핸드폰을 집어 들었다. 하루의 피가 휴대폰 화면에 찍혔다. 피 때문인지 터치가 안 먹히는 휴대폰에 애를 먹었다. 손에 묻은 피를 급하게 옷으로 닦아내고 화면에 보이는 메시지를 확인했다. 화면엔 하루의 연락이 떠 있었다. 엄마의 연락인 줄 알았던 소리가 하루의 살려달라는 소리였다는 걸 깨달았다.

"이거 아니잖아…."

아무 혈색이 없는 하루가 어색했다. 더 늦기 전에 112에 전화를 걸었고, 경찰관의 묵직한 목소리가 들려왔다. 고여버린 눈물을 닦아내며 말을 이었다.

"우리 가족 좀 살려주세요. 경찰관 아저씨, 예전으로 좀 돌려주세요…."

간절한 목소리가 휴대폰 너머로 울려 퍼졌다. 엄마가 암에 걸리기 전, 따스했던 가족이 그리웠다. 몇 마디가 더 오가고 출동한다는 경찰관의 말을 들을 수 있었다.

차가운 하루와 술에 취해 허공에 손을 휘젓는 엄마, 어디 갔는지 모를 아빠까지. 이 상황을 보며 아빠가 도망이라도 간 거라면 어떡하지. 불안함이 몰려왔다.

흐르는 피를 옷으로 감쌌다. 젖어 드는 하루의 피가 눈에 들어올수록 구역질이 났다.

"도대체 나한테 왜 이러는 건데!"

아는 욕이라곤 죽고 싶다 뿐이라 머리를 쥐어뜯으며 죽고싶다를 반복했다. 바보 같은 나는 제 나이에 맞지 않게 아는 것이 없었고 멍청했다.

집이 이렇게 망가질 때까지 방관해 둔 것마저 바보 같은 저 때문에 일어난 일이니까. 긴급한 상황에 119가 아닌 112에 전화를 걸었으니까. 모든 문제에 대한 원망에 타겟은 내가 되었다. 나는 나를 탓했다. 결국 어떤 이의 도움을 받을 거였으면, 처음부터 신고를 할걸하고 후회했다.

일을 겪으면서 내가 알게 된 건 사랑이라 칭하던 부모의 행동이 학대였다는 것이 아닌, 무너진 가족은 다시 돌아올 수 없다는 것을 알게 되었다.

죽은 사람의 몸은 차갑다는 것을, 그래서 하루의 몸이 차가웠던 것을 알게 되었다. 어떻게든 모든 것들을 제자리로 돌려두고 싶었는데. 그건 그저 헛된 꿈이었다.

"하루야 누나 왔어. 늦게 와서 미안해. 눈 좀 떠 봐. 제발."

목소리가 볼품없이 떨렸고 비참함이 물밀듯 밀려왔다. 쉴 틈 없이 차오르는 눈물을 흘렸고 3월 18일, 최고의 생일이라고 여겼던 날엔 하루에게서 볼 수 있었던 따뜻한 봄날의 미소는 존재하지 않았다.

하루가 곁을 떠나고 며칠 후 경찰관 아저씨가 찾아왔다. 나는 충격으로 인해 병실에 강제 입원을 하게 되었다. 의사는 내게 함묵증이라는 진단을 내렸다. 경찰관 아저씨는 괜찮냐며 말을 이었고, 세상에 타이밍이란 정말 등신 같았다.

유독 술을 많이 마시던 엄마는 결국 간경화 말기 상태까지 이르렀고 하루가 죽은 다음 날 세상을 떠났다. 하루의 죽음에 대한 어떠한 책임도 없이 세상을 떠나버린 엄마를 원망했다.

아빠는 도망을 친 게 맞았다는 말을 들었다. 항상 다정하다가도 술만 마시면 난폭해지던 아빠는 손을 데지 말아야 할 술에 손을 뎄다. 학교에서 수업을 듣고 있는 사이 회식 자리에서 직원들과 함께 술을 마셨다는 말을 들었다.

유치원이 일찍 끝났던 하루는 함께 가기로 한 나를 기다리다 점점 어두워지는 하늘에 급하게 짐을 싸 집으로 도망치듯 달렸다. 집에 도착했을 땐 다툼이난 부모가 보였고 싸우지 말라며 사이에 끼어들었다고 한다.

"하람이 아버지는…."

경찰관 아저씨가 착잡한 듯 입 주변을 만지며 입을 열었다.

아빠가 들고 있던 접시에 하루가 머리를 맞고 쓰러졌다고 말했다. 아려오는 통증과 희미해진 시야에 얼마나 힘들었을까. 힘이 풀리고 뜨거운 액이 피라는 걸 알았을 때 나를 얼마나 불렀을까. 아픔의 깊이가 깊어서 눈물이 흘러내렸다.

선물을 보곤 입이 찢어지게 웃으며 집을 갈 때의 내 모습이 생각나서. 대체 뭐가 그리 행복했던 건지 별거 없는 네 생일이 하루보다 행복하게 만들어주냐 묻고 싶었다. 철없이 웃고 떠드는 사이 사랑하는 동생을 잃었다. 그것도 부모의 손에 의해서.

"하람아 아직도 말하기 힘들지?"

어깨를 두어 번 매만지는 손길이 불쾌했다. 인상을 찌푸리며 경찰관 아저씨를 바라봤다. 손에 들린 진술서가 빼곡히 적혀있는 걸 볼 수 있었다.

"하람이가 괜찮아지면 얘기하자. 우선 이거는 아버님이 직접 적은 진술서야. 그러니까 쉽게 말해서 하루의 그날 일을 하람이 아빠가 그대로 적었어. 이게 맞는지만 확인해 줄래?"

빼곡하게 적힌 종이를 건네받았다. 종이에 적힌 내용을 눈으로 읽어내렸다.

몇 차례 때린 건지 기괴하고도 세세하게 적혀있었다. 삶이 너무 가혹하게 느껴졌다. 어두컴컴한 늪에서 빠져나오려 발버둥 치던 하루가 떠올랐다. 하루의 도타를 알아갈수록 독이 되었다.

"하루가 하람이를 많이 따랐던 것 같더구나."

경찰관 아저씨의 말에 진술서를 한 장 넘겼다.

~~아내와~~ 고하연(모)과 다툼이 일어났고 칼을 들이대는 고하연(모)을 말리다 보니 점점 분위기가 과열됐다. 누군가 달려와 우리를 말렸는데 ~~하루였다.~~ 봉하루(자녀)였다. 말리는 것에 대해 화가나 팔을 휘둘렀을 때 봉하루(자녀)가 접시에 머리를 맞고 쓰러졌다. 분이 풀리지 않아 힘을 가해 주먹으로 얼굴을 때렸을 때 두 팔을 들어 올려 얼굴을 가렸고 배를 감쌌다. ~~술에 취해서~~ 봉하루(자녀)의 배를 몇 차례 더 가격하며 발길질했다.

경찰 아저씨의 목소리가 귓가에 파고들었다. 늘어진 문장을 읽기 힘들었다. 정당화 안 될 폭력을 변명이라고 '술에 취해서'라는 말을 적은 걸 보고 진술서를 덮었다.

꾸역꾸역 참아오던 눈물이 흘러내렸다. 아무 소리도 나오지 않아, 그저 끅끅댈 뿐이었다. 경찰관 아저씨는 고개를 숙이곤 땅을 바라봤다. 분위기가 적막해졌다. 술을 마시면 난폭해지는 아빠와 가끔 주먹을 휘두르던 엄마에 혹여나 하루가 맞을까 항상 당부하듯 가르쳐줬던 동작이었다.

“하루야, 엄마 아빠가 때리려 하면 어떻게 해야 한다고?”
“하루가 잘하는 새우잠!”
“그렇지. 역시 우리 하루 정말 똑똑해.”
해맑게 웃는 하루의 머리칼을 쓰다듬었다.

둘 다 멍이 들어 파랗게 물든 손으로 해맑게 웃으면 하이파이브를 하던 기억이 스치네요. 멍이 들어 아팠어도, 상처가 덧났음에도. 믿음이란 가십거리로 버티던 우리가.

웃음이 이 세상의 멸망을 능멸해 버릴 것 같던 지구의 틈 안에서 우리는 끝까지 미소를 짓고 비소를 짓게 되지 않을까 했어요. 아무리 긴 늪이라도. 죽음이 우리를 이끌어도. 잠깐의 행운이 우리를 향해 세상 모든 불운을 끌어온대도. 우리는 덥석 문 망각을 씹어 삼키며 결국은 희열을 느끼곤 웃게 되지 않을까 하고 끝까지 서로를 놓지 않은 채 웃음을 지었어요.

아동학대 이야기로 동네가 떠들썩했다. 순식간에 퍼진 내용은 어떤 건 맞고 어떤 건 틀린 위아래 없는 말들이었다. 지은이도 소문을 들은 건지 생일을 축하해준 이후부터 보지 못했다. 경찰서와 병원을 오가는 탓에 보지 못했으리라 생각했지만, 지은이에게 아무 연락도 오지 않았다. 정말 소문을 들은 것이 아닐까.

꽤 깊었던 우정이 이렇게 망가질 수 있다는 걸 알게 되었다.

한순간에 모든 걸 잃은 마음은 어떤 말로도 표현할 수 없었다.

소문에 소문을 덧붙여 아동학대 이야기가 뉴스에 보도되었다. 몇 년을 당해오던 학대에 무관심하던 이들은 잘 걸렸다는 듯 욕을 퍼부었다. 마치 모든 것을 아는 사람처럼. 뉴스 보도에 실린 내용 하나에 '징역 10년은 짧다.' '어린아이가 맞아 죽었는데 이렇게 판결하는 게 맞냐.' 등 인터넷 게시판이 난리가 났다.

"하람아 뉴스 그만 찾아봐. 티비채널 다른 거 보자."

간호사 언니가 리모컨을 집어 채널을 돌렸다. 멍때리듯 일정하게 돌아가는 채널을 봤다. 병실을 잠깐 들른 간호사 언니는 계속해서 티비 채널을 돌렸다. 따분하게 넘어가는 채널을 보다 또다시 뉴스 채널에서 간호사 언니의 손목을 잡았다.

"하람아 뉴스는 되도록 안 보는 게…."

고개를 저으며 손짓했다. 괜찮으니 나가달라는 손짓이었다. 간호사 언니는 나를 한 번보곤 포기한 듯 자리를 옮겼다. 간호사 언니가 문을 닫고 나가는 모습까지 보고서 그제야 고개를 돌릴 수 있었다. 짧은 순간에 나는 알 수 있었다. 그날 최악의 사건은 아동학대뿐만이 아니었다는 것을.

멈춰선 티비 채널엔 3월 18일 오후 한 어선이 침몰했다는 안타까운 내용이었다. 침몰 사고가 있었다는 내용은 아동학대 건으로 인해 세상 사람들에게 묻히게 되었다. 찾아본 인터넷 댓글에는 딱 하나가 달려있었다.

↳3월 18일 저주받은 날이네.

고작 몇 글자가 내 마음을 찢어지듯 아프게 만들었다.

실상 이 관심은 유가족분들이 바라던 걸 수도 있다. 죽은 가족이 다른 이들의 입에 오르내리는데 좋을 리 없었다.

모든 사람이 선할 리 없었다.

병신같다는 말과 처절함에 짝이 없다는 말을 쉽게 적어 쓰는 게 그들의 세상이다. 그런 못된 말들만 골라서 지껄여도 유가족은 할 수 있는 게 없었다. 그저 자기 부모님과 아들, 딸을 편히 보내주는 게 우선일 것이다.

유가족분들은 지금 어떤 표정을 짓고 있을지 상상이 되지 않았다. 가족의 사망 소식은 들었을까. 시신은 찾았을까. 그들은 괜찮을까. 쓸데없는 생각들이 복잡하던 머릿속에 들어찼다. 큰 숨을 몰아 내쉬었다. 새벽이라 그런 건지 남의 일에 오지랖을 떨었다.

좋은 일이라고 해야 할지 나쁜 일이라고 해야 할지 전과 달라진 게 있다면 모르는 이들이 나를 알아보곤 위로를 건넸다. 힘내라며 귤을 쥐여주고 아프지 말라며 꽃을 건네왔다. 꽃말이라도 찾아보고 건네주지. 전부 탐탁지 않은 위로였지만 버리지 않고 탁자 위에 차곡차곡 쌓아두었다.

사랑받지 못한 주인 잃은 꽃들은 시들어가고 내가 본 뉴스는 마치 시든 꽃처럼 사람들의 죽음터가 보였다. 아동학대와 어선 침몰 사고 전부 죽음으로 이루어져 있었다. 티비화면에 띠어지는 영상을 보며 새벽을 지새웠다.

꽃들의 계절이 존재하듯 우리의 세상이 존재하는데, 어째서 나는 어떤 삶에도 어울리지 못하는 것일까.

일렁이는 물결 파도하고도 파랑

2024년

자퇴를 선택했다.

세상은 녹록지 않았다. 입학 후 어영부영 다니던 고등학교는 자퇴를 선택했다. 뜸한 등교에 이미 안 좋은 아이라는 소문이 있었지만, 나는 별생각이 없었다.

좋지 않은 시선은 평생 내 뒤를 따라다니던 보이지 않고 찝찝한 먼지 같은 거였다. 다른 근원을 탓하던 지은이와의 거리는 정말 그날 이후 다시는 보지 못했다. 몇 년이 지났지만, 서로에게 연락 한 통 없었다. 이게 우리의 마음이었겠지. 진실한 운명이었을 것이다. 차라리 잘됐다고 생각했다. 지은이가 옆에 있었더라면 꾸역꾸역 학교를 나가고 힘든 삶을 살았을 것이다. 차라리 이렇게 멀어져 버리는 게 낫다는 생각이 들었다. 우리는 우리가 아니었던 것이다.

자퇴 후에 마지막 학교를 바라보았다. 정이 든 건 아니었고 단지 나를 잠시나마 품어준 것에 대한 감사 인사였다.

"저기요. 학탈하는 거 걸리면 큰일날 텐데."

뒤에서 청량한 목소리가 들려왔다.

"명찰색보니까 같은 학년인 것 같은데. 학기 시작된 지 얼마나 됐다고 그러냐."

단정하게 차려입은 차림새가 신기했다. 보통의 이들이라면 사복을 입고 있었을 텐데. 아이스크림을 핥으며 다른 한 손은 주머니에 꽂혀있었다.

"학탈 하는 거 아닌데요."

눌러쓴 모자를 잡아끌어 그와의 시선을 피했다.

"모자 눌러쓰고 지금 가방까지 들고 어디 가는 건데 외출? 아니면 조퇴?"

"그쪽이 상관 쓸 일 없잖아요."

신경질적으로 남자를 쳐다보곤 그를 지나쳤다.

무슨 자기가 학생부 소속도 아니고 참견질을 하는데 화가 났다.

"백우현이야. 우연이라도 다음에 만나자."

거칠어진 걸음 사이로 그의 목소리가 들려왔다.

처음이자 마지막이 된 그의 이름과 인사를 듣곤 머뭇거림도 없이 자리에서 빠져나왔다.

차가운 바다에서 익사한다면 사랑 그보다 끔찍할 수 있을까. 죽음에 대한 영혼을 한 스푼 담는다.

일렁이는 물결. 파도하고도 파랑. 한적한 이곳에 수많은 영혼이 노래를 부르고 있다. 살려달라는 노랫소리에 흥얼거리며 발맞춰 걷는다. 어두운 늪에 구원을 원하며 익사를 삼킨다. 우리의 낭만을 헐뜯고 청춘을 익사시켰다. 언제봐도 적응되지 않는 푸른 바다에 먹잇감을 주듯 시체를 담근다. 울타리 너머의 세계는 어떤 지옥이 공존하고 있을까.

두려움을 잃은 나는 어둠에 한 발짝 더 가까워졌다. 흘러가는 바닷물에 몸을 맡겼다. 발가락 사이로 파고드는 입자들이 간지러웠다. 해파리의 촉수가 맞닿을 것 같았다.

소용돌이가 요동치는 바닷속에서 고회를 외쳤다. 공허를 느끼고 따분한 웃음을 짓는다. 차갑게 불어오는 파도에 죽음과 서서히 가까워졌다. 시간, 날짜를 불문하고 불명으로 생의 기간을 정한다. 그렇게 세계에서 사라질 것이다.

만일 이런 사회에 다시 태어난다면 주저흔을 남기다, 정열을 품을 것이다. 혼자 씁쓸히 죽어갈 것이다. 다시는 아픔을 겪지 않을 것이다. 언젠가는 지나가리라 했던 아픔을 품어주지 않을 것임을 말이다. 허망 된 꿈을 꾸던 소녀의 꿈은 이울었다.

심해의 깊이를 느꼈다. 무릎까지 차오른 바다에 실수 없이 전 같은 선택은 하지 않으리라 다짐했다. 빠져들수록 발끝이 허공을 맴도는 시간이 길어짐을 느꼈다. 차갑고 외로운 바다에 후회 없이 물결 따라 일렁였다. 심오한 구렁텅이에 처박혀 눈물을 흘리고 떨어지는 눈물이 암흑이 되어 나를 썩혔다. 고조된 비참함이 몸값을 매겼다.

"뭐, 뭐하는 거야?"

시원해진 바람결 사이로 낯선 목소리가 들려왔다. 부드럽고도 청량한. 심연에 빠져 숨조차 쉴 수 없었을 나를 여운에 멈추게 만들었다. 파도 소리를 들으며 목소리의 주인을 찾았다.

바람에 흩날려 헝클어진 머리칼과 미세함에 비롯된 보조개가 흐린 눈 사이로 들어왔다. 파랑성이 맞닿으며 초조한 떨림과 함께 그의 맥박 소리에 귀를 기울였다. 붉어진 그의 눈시울이 꺼병한 나의 눈과 마주했다. 갈망을 원하는 자들의 시선과 꼭 붙잡은 두 손은 끝까지 놓지 않았다.

따스함이 느껴지던 그의 손은 차가워진 나의 손과 대비되는 듯했다. 힘이 풀려 축 처진 팔과 물에 젖어 무거워진 소매를 잡아끌었다. 가쁜 숨을 내쉬며 힘이 빠진 탓인지, 끌어당기는 힘은 턱없이 부족해 보였다. 힘없이 떨기만 하는 두 손으로 무얼 한다는 건지 애처롭게 짝이 없었다.

떨림의 근원지는 어디일까. 어두운 밤이 무서운 걸까. 어두운 바다가 무서운 걸까. 대범하게 뛰어든 사람이라곤 안 믿길 정도로 떨림이 느껴졌다.

"밤, 밤바다는 아직 추워. 아침에 사람 많을 때 와서 놀아."

"……"

질끈 감은 눈꺼풀이 떨리는게 눈에 들어왔다. 얼마나 세게 물고 늘어진 건지 그의 입술에 피가 맺혀 있었다. 검붉은 피가 터져 나오는 입술을 끝까지 다문 채 안간힘을 쓰며 손을 잡았다. 터진 입술과 괴로운 그의 표정이 내게 말을 걸었다. 살아달라는 굵고도 얄팍한 말을 해왔다.

망가지는 그의 모습을 하나하나 뜯어 눈에 담았다.

언제 죽을지 모르는 긴박한 상황에서 그에겐 도망이란 보이지 않았다. 끝까지 볼품없는 나를 붙잡았다. 차가운 손을 놓지 않았다. 혹여 나에게 구원을 속삭이고 싶었던 건 아닐까, 생각했다.

"제발, 여기서 나가자."

옷깃을 잡아 오는 두 손을 뿌리치고 드넓은 바다를 향해하고 싶었다. 헤엄을 치고 싶었다. 숨을 쉬고 싶었다. 심하게 떨려오는 그의 손을 떼어내려 하니, 왜 그러냐며 소리쳤다. 물기 그득한 목소리가 물먹은 귓가로 울려 퍼졌다.

"죽지 마. 제발 죽지 마. 부탁할게. 이렇게 간절하게 빌게. 그러니까 정말 제발, 제발 죽지 마."

죽음의 언저리에 머문 나를 또 한 번 잡아 왔다. 전보다 더 흐려진 시야에 발을 헛디뎠다. 구겨진 그의 얼굴이 내 세상을 아득하게 만들었다.

곧장 사라져도 무서운 거 없는 나에 비해 뛰어든 그는 두려움 사이에서 갈피를 못 잡고 있었다. 그를 위해 어렵게 결정한 죽음을 포기해야 하는 것인가 생각했다.

고작 자신을 살리기 위해 나타난 구원을 죽음으로 내몰아도 되는 건지 망설여졌다. 차가운 온기 사이에서 따뜻한 온기가 매혹되었다.

약을 먹은 탓에 몸 전체에 약이 퍼지며 혈관을 찌르듯 파고들었다. 경직됐던 몸은 힘이 풀리고, 부릅뜨고 있던 눈꺼풀마저 서서히 방향을 잃었다.

방향감각을 상실한 채 꿈을 꾸었다. 거북이가 헤엄을 치는 꿈. 뜬눈으로 긴 밤을 지새울 수 없으니, 고요 속으로 두 눈을 접어두었다. 깊이와 움직임이 뜻대로 사뭇 되어갔다. 약기운에 미쁘지 못한 그를 이 순간 잠시나마 미쁘보려 했다. 찌질하게 약을 변명이라고 늘어놓고 원치 않던 허공의 공기를 마셨다. 흐느끼는 소리를 들으면 해수면 위로 떠오르는 감각을 짓밟았다.

찬 물결을 지나 그을진 모래사장 위 좁은 공항로를 남겼다. 그와의 거리가 가까워지고 공허한 모래 위 발자취를 남겼다. 죽음의 문턱을 넘은 세계는 여전히 춥고 가련했다. 휘몰아친 고단함에 차가운 밤공기를 마시며 서서히 눈을 감았다. 약기운에 몸을 맡기며 정신을 잃었다. 온전히 그의 힘으로 나의 몸을 지탱하게 되었을 때 서로의 손을 놓았다.

안도의 숨을 내쉬며 놓지 않던 손을 그제야 놓는 그였다. 붉어진 손목과 양손을 보며 깊은숨을 몰아 내쉬었다. 물에 젖은 헝클어진 머리를 대충 털어내곤 신발을 신겨 주었다.

씹어 터진 입술과 왜인지 모르게 부어있는 눈. 안간힘을 쓰다 돌에 쓸렸는지 피가 맺힌 발과, 밤바다에 젖어 흘러내리는 물방울이 곁에 머물었다. 괜찮냐며 다독이는 그의 손길이 느껴지고 몽롱한 정신을 일깨우는 그의 울음이 감각을 자극했다. 서툰 손길을 받아내며, 봄밤에 취해 잠에 들었다.

달콤하고 애처로운 밤을 마신 것만 같았다.

축축한 옷에 찝찝함이 동반했다. 깨어났을 때 자리에서 일어나 주위를 둘러봤다. 낯선 환경에 신경이 곤두섰다. 낮은 천장과 높은 침대. 허름한 책장과 곱게 접힌 옷들이 눈에 들어왔다. 잠에 든 사이에 무슨 일이 있었던 건지 도통 감이 잡히지 않아 조심스레 방 밖으로 걸음을 옮겼다.

"일어났어?"

남자가 물음을 건네왔다. 목소리가 들려오는 쪽으로 고개를 돌리니 아까 전, 바다에서 마주한 남자가 나를 쳐다보고 있었다. 심란한 표정으로 꽤 깊이 쳐다봤다.

"몸은 괜찮아?"

다정하게 물어오는 그의 말에 어떠한 답을 늘어놔야 할지 어려웠다. 괜히 차가워진 공기에 목덜미를 긁적이며 시선을 떨어트렸다. 투박하게 감겨 있는 붕대가 시야에 들어찼다. 피가 맺힌 발을 보곤 한숨을 내쉬었다. 꿈이 아니었다는 걸 자각했다.

"옷은 왜 안 갈아입었어? 바닷물에 젖어서 찝찝할 것 같아서 일어나면 갈아입으라고 침대맡에 옷도 가져다 뒀는데."

그는 부엌으로 향하는가 싶더니 찬장에서 컵을 꺼내 들었다. 지금이라도 갈아입으라며 중얼거리는 말을 가볍게 무시했다.

"너 왜 나 모르는 척해?"

젖은 차림새로 물어보는 꼴이 꽤 웃겼다.

"모르는 척? 모르는척한 적 없는데."

"너 나 알잖아."

"응. 그래서 친한 척 말 편하게 한 건데? 나 처음 보는 사람한테 반말 안 써."

자퇴하고 교문에서 만났던 남자아이였다. 하필 죽으려던 때에 이를 만나다니 한숨이 나왔다.

"몸은 괜찮아?"

답을 하지 않으니, 고개를 갸우뚱거리며 또 한 번 물음을 건네오는 그였다. 몸 사이사이 근육통을 제외하면 괜찮았고 그와의 기억은 쓸데없이 뚜렷했다. 단지 그에게 모든 속내를 드러낸 것 같아서 좀 전의 기억을 꺼내 들기에 두려웠다.

"답이 없네."

티백을 꺼내 들어 머그잔에 담는 그였다. 자연스러운 행동과는 달리 이야기에 흐름은 자연스럽지 못했다. 의문 가득한 표정으로 그의 행동 하나하나를 지켜봤다. 계속해서 지켜보다 멀떠름한 기운이 맴돌아 그의 시선을 피했다. 그도 그럴 것 같았다는 뉘앙스를 풍기며 내게 컵을 들이밀었다.

"이거 차야. 좀 마셔."

대답 없이 고개만 저었다. 나의 반응에 눈썹을 시옷자로 만들곤 한입만이라도 먹어보라며 권했다. 쳐다보는 시선이 부담스러워 하는 수 없이 차를 받아들었다. 곁으로 다가오는 그의 손에는 낡아빠진 다이어리와 효과를 알 수 없는 차가 들려있었다.

"히비스커스라는 차야. 시고 떫은 맛에 먹는 차인데 꿀을 넣어서 달 거야."

그는 힘겹게 팔을 뻗어 나의 손에 자기 손을 포개었다. 따뜻한 차를 쥐여주곤 나를 향해 해맑게 웃었다. 뭐라고 이렇게까지 하는 것일까. 마음이 착잡해졌다.

"단 거 별로 안 좋아해."

"마시면서 진정해. 긴장 완화해 주는 효과도 있어. 아까 일은 모르는 체할 테니까 그냥 편히 쉬어."

차를 건네받곤 그의 손길에 이끌려 소파에 앉았다. 자홍색 빛이 도는 하비스커스 차는 아름다웠다. 비록 차에 비치는 내 모습이 초라하게 느껴졌지만. 붉게 물든 심장에 맞물려 담겨있는 내 모습을 보니 가슴이 먹먹해졌다. 괜스레 컵을 어루만지며 상황을 돌이켜봤다.

나는 죽음이 아닌 구원에 뛰어들려 했던 것이고 이 남자는 나를 구원에서 죽음으로 내몰았던 사람이다. 정리를 하면 그렇게 되는데 왜 이 따스한 죽음을 받아먹고 있는 걸까.

"두려움에 떨면서 나를 살린 이유가 뭐야?"

자연스럽게 자리에서 일어나 그에게 한마디를 전했다. 물음에 돌아오는 답은 없었다. 손에 들린 다이어리를 깔짝이며 나를 쳐다봤다. 동공에서 찬 바람이 불어오는 것 같았다. 아무리 따스한 그여도 찬 바람을 불어올 수 있구나. 멍하니 그를 바라봤다. 마주한 눈빛이 비관스러워 보였다.

"네가 어떤 말을 내뱉던 상관은 없어. 그렇지만 네가 그렇게 죽어버리면 곁에 남은 사람들은 슬픔에 빠지게 될걸. 그러니까 그러지 마. 사람들을 위해 살아."

고요함의 언저리에서 남자의 목소리가 울려 퍼졌다. 남은 이들을 위해 살라는 말이 동정으로 들렸다. 나를 남겨두고 떠난 이들을 생각하라니 기가 차 헛웃음이 나왔다. 그들이 내게 남긴 건 슬픔이 아니었다. 되려 두려움에 떨게 내버려두었지.

차라리 그의 말처럼 슬픔이 병이 된다면 약이라도 먹었을 텐데. 두려움은 어떻게 할 방법이 없었다. 나의 아픔은 누가 약을 처방해 주고 치유를 해주려나. 응어리진 마음으로 무거운 말을 내뱉었다.

"네가 생각하는 슬픔이 그 사람들한테 아픔이 된다면 나는 무슨 짓을 벌여서라도 끝까지 바다로 갈 거야."

나의 말에 코웃음을 치는 그였다.

"바다가 네 집이야? 거길 네가 왜 가. 바다가 네가 죽는 걸 받아주고 싶대?"

화를 삼켜냈다.

“바다가 얼마나 공허한 늪인지. 얼마나 무서운지 알기나 해? 너를 알아버린 이상 나는 너를 죽게 내버려두지 못해.”

“아무것도 모르는 네 선택으로 나는 다시 죽음에 가까워졌어. 나한테 공허한 늪은 바다가 아닌 세상이야. 나한테 남은 건 아무것도 없고 난 숨 쉴 곳이 필요할 뿐이었어.”

그의 표정 속엔 내가 왜 죽음을 선택했는지에 대한 의문은 눈씹고도 찾아볼 수 없었다. 단지 공허 안에서의 두려움이 현실에 떨고 있는 나보다 괜찮을 거라는 생각에 이런 죽음을 선택한 것인데.

“죽어가는 표정 속에 살려달라는 목소리가 들렸어. 표정이 말을 해. 나를 바라보던 표정이. 초점 하나 잡히지 않던 두 눈동자가 살고 싶다고 말하는데 내가 뭘 어떻게 해야 했을까?”

내려앉은 눈꺼풀로 얘기하는 그의 말을 믿을 수 없었다. 그렇게 괴로워하고 죽음을 반복하던 내가 살고 싶은 표정을 지었다니. 믿기지 않았다.

“나는 너처럼 죽음 앞에 선 사람을 두고 자리를 뜨지 못해. 특히 바다 앞에서 구원을 바라는 눈빛으로 서 있는 사람이라면 더.”

“내가 그랬을 리 없어. 살고 싶은 표정을 지은 건 네가 멋대로 생각한 허상일 뿐이겠지.”

“그렇게 생각하면 나는 더 이상 해줄 수 있는 말이 없어. 그렇지만 바다가 얼마나 공허한 늪인지 알면서. 왜 죽으려는 건데.

왜 바다에서 죽으려던 건데."

"아는 것들이 전부가 아니야."

"깊은 심해는 큰 추위를 안겨줘. 추위에 떨 너랑 어둠에 갇힐 가족들이 걱정되진 않아? 추위를 느끼면서 굳이 늪에 들어가려는 이유를 이해할 수 없어."

"다른 고통이 잇따른 고통보다 크다면 괜찮아질 것 같으니까. 네가 알지도 못하는 내 가족은, 곁에 있던 사람들은 좁은 방안에 숨 쉴 틈을 전부 막아놓고 나를 남겨두고 떠났어."

떨리는 숨을 가다듬으며 힘겹게 자리에서 일어났다.

벙찐 표정으로 나를 바라보는 그에게 나지막이 말을 전했다.

"다시는 이런 일에 참견하지 마. 묻지도 말고 보지도 말고 잡지도 마. 어떤 모습의 너라도 그러지 마. 모든 선택에는 이유가 있고 다른 이들의 뜻깊은 선택을 좌우할 자격 따위 없으니까."

내려앉은 분위기를 살폈다. 차가운 시선을 뒤로한 채 급하게 나갈 채비를 마쳤다.

"잠시만."

남자의 표정이 잠시 일그러지더니 손목을 다급하게 잡아 왔다. 손목에서 느껴지는 따뜻한 온기에 잔뜩 찡그린 얼굴로 고개를 절레절레 흔들었다. 붙잡힌 손을 있는 힘껏 떼어냈다.

"저기."

내 반응이 무색하게도 그 남자는 내게 가까워졌다. 짧아지는 거리에 그를 경계하며 몇 걸음 더 멀어졌다. 할말이 있는 건지 메마른 입술을 축이며 복잡한 표정을 지은 남자는 얼굴을 한번 쓸어내렸다.

“너 아픔을 모르고 말한 건 미안해. 그렇지만 방안에 숨 쉴 틈을 만들면 되잖아.”

“그렇게 한다고 됐으면 내가 이렇게까지 망가지진 않았겠지. 아무리 이런 나라도 여러 시도를 해봤어. 나도 푸른 바다가 반짝이는 날을 사랑했으니까.”

“내가 본 너는 아직 망가지지 않았는데.”

“나는 다른 사람들과 달라. 네가 생각하는 것과는 다르다고.”

“내가 도와줄게. 처음 만났던 날 기억해? 내 눈에 너는 다른 사람들과 다를 것 없이 열일곱이란 숫자를 가진 학생이었어. 서툴더라도 끝까지 곁에 남아서. 숨 쉴 틈을 만들지 못하는 거라면 내가 산소를 찾아줄게. 찾아낼 테니 오늘부로 다시는 아문 상처를 덧내지 말자.”

무슨 말을 하던 들을 생각이 없었다. 결국 제자리 걸음이었다.

“그만해. 알지도 못하는 네가 대체 뭘 도와준다는 거야. 믿음 없는 사람한테 도움받을 생각 없어.”

“한 번만 살아봐. 찾지 못한다면 잡지 않을게. 혹독한 대가를 치러도 돼. 그러니까, 한 번만 믿고 같이 도망가자.”

조심스레 마주잡아오는 손이 다정했다.

“백우현이야.”

웃는다. 아무 색도 표현도 없던 그가 해맑게 웃었다. 이상하게 그가 웃는 모습이 낯설게 느껴지지 않았다. 이쁘게 들어가는 보조개가, 가냘게 올라간 입꼬리가 왠지 모르게 익숙하게 느껴졌다. 머릿속에 희미한 기억이 스쳤다. 지끈거리는 머리를 짚고 천천히 기억을 읊었다.

혼들리는 감정을 부여잡고 우현이에게서 멀어졌다. 실없이 떨리는 주먹을 쥐었다 풀기를 반복했다. 피어오르는 감정에 울상을 지었다. 절대로 나에게 행복은 존재할 리 없다고 생각했다.

잠깐의 베풂이 나의 낙관이 되었다. 겨우 낙관에 흔들려선 안 된다고 되뇌었다. 내가 느끼던 하찮은 희망은 나에게 또다시 낙망으로 돌아온다. 겨우 단어 한 끗 차이로 어둠에 가까워졌다.

"왜 그래. 내 말이 사실이라는 걸 증명할 수 있게 해줘."

증명을 말하는 우현이와의 거리가 가까워짐과 동시에 손에 들려있던 컵이 바닥에 처박혔다. 바닥에 부딪힌 유리잔은 산산조각이 났다. 차가 담겨있던 머그컵은 우현이가 들고 있던 노트와 카페 시트를 적셨다. 정신을 차리고 보니 발 주변에 유리 파편이 널브러져 있었다. 파편이 스쳐 지나간 자리엔 검붉은 피가 흘러내렸다.

우현이는 토끼 눈으로 나를 바라봤다. 흩어지는 진한 핏물에 다급히 나에게 달려들었다. 유리 조각은 신경을 쓰지도 않으며 시선을 오직 나에게 둔 채로 달려왔다. 우현이 유리를 밟을 때마다 살을 뚫고 들어가 박히는 소리가 내 귓가로 파고들었다. 어떠한 아픔에도 꿈쩍 하지 않으며 나를 소파 위에 앉혔다.

그는 주머니에 있던 손수건을 꺼내 들곤 나의 발에서 흐르는 피를 손수건으로 닦아냈다. 오만상을 쓰는 우현이의 표정은 내 마음을 침전시켰다. 큰소리를 쳐야 할 판에 도리어 괜찮냐며 물어오는 우현이에 적대심이 균열 났다.

모르는 건지, 모르는 척을 하는 건지. 내 눈엔 유리를 밟은 우현이 더 위급해 보이는데. 고작 유리에 쓸린 상처에 호들갑을 떨었다. 그런 반응하며 발을 감싸오는 우현이를 이해하기 어려웠다.

“미친 거야?”

“고운 발 다쳐서 어떡해. 소독해야 할 것 같은데.”

우현이는 내 말을 무시한 채 발 주변을 훑었다.

“이거 놔.”

“가만히 있어. 피가 많이 나, 박힌 유리를 빼내고 빠르게 치료해야 할 것 같아.”

“네가 신경을 쓸 일 아니야. 알아서 할게.”

“일단은 물로 먼저….”

내 발을 들어 서너번 확인했다. 흐르는 피를 손수건으로 누르며 지압했다. 빨갛게 물들어 가는 손수건을 보며 잠시만 있으라는 말과 함께 화장실로 걸음을 옮기는 그였다. 답답한 마음에 그에게 소리를 질렀다.

“제발 그만해! 이게 무슨 큰일이라고. 나를 위한 척 계속 무엇을 하려 하는데 그러지 말라고.”

“너를 위한 척을 해서 내가 얻는데 뭔데.”

우현이의 말하는 투가 거칠었다.

“그러니까. 얻는게 뭔데 이러는 거냐고.”

물수건을 들어 나의 발에 맞대었다. 물수건이 상처에 닿으며 저릿한 고통이 느껴졌다.

"세상에 목적 없는 선의는 없어."

"너 지금 피 많이나. 자기 자신을 이렇게 모르면 어떡해. 아무도 너를 사랑해 주지 않으면 너라도 사랑해 줘야지. 이게 뭐야."

우현이의 말 한마디가 길었다. 정성스레 늘어뜨린 말은 모순적으로 들렸다.

"그럼 너는 안 아파? 발에 박힌 유리만 해도 몇 개인데, 너를 봐. 나라는 사람 하나 때문에 이렇게나 망가졌어."

목소리에서 떨림이 느껴졌다.

바다에서 만났던 순간부터 지금까지 내가 본 우현이는 수없이 망가지고 있었다. 소중한 몸 일부를 필요도 없는 나에게 받쳤다고 생각했다. 사랑하는 연인도 사랑할 사이도 아니고 몇 년을 함께한 인연도 몇 년을 함께할 사이도 아닌데. 무얼 위해 온몸을 받쳐 나를 구원하는 건지 궁금했다.

당신의 구원은 당신이 망가져야만 나오나 봐요. 두 눈이 촉촉이 젖어갔다.

"말했잖아. 네가 어떤 말을 내뱉든 상관없어. 아무리 아파도 난 괜찮아. 그러니까 울지마."

다정한 말로 나의 발을 감싸왔다. 아무것도 아닌 당신이.

우리의 피가 재가 되어 바닥을 메꾸었다. 측은하고 캄캄한 피

바다가 가엾게 들어찼다. 하얗던 바닥이 빨갛게 물들어 가고 호지부지한 당신의 노력이 이 세상에 작별을 고한다.

우현이의 발에 투박하게 감겨 있던 붕대와는 달리, 내 발에 감겨가는 붕대는 정갈하게 짝이 없었다. 마지막까지 붕대를 감싸주던 손길은 정성스럽고 부드러웠다. 다정함은 가늘었다.

"안 불편해?"

우현이는 나의 발목을 부여잡고 위아래로 돌렸다. 아래에서 느껴지는 시선을 피해 그저 고개만 까딱일 뿐이었다. 누군가의 눈 맞춤이 어색했다.

"잘했나 봐. 다행이다. 배는 안 고파? 밥 먹을래?"

자리에서 무릎을 짚고 일어나 자연스레 딴청을 했다. 아무런 답도 하지 않으니, 구석에 있던 빗자루를 들고 오는 그였다.

바닥에 널브러진 큰 유리 조각을 덜어내고 자잘한 유리 조각을 쓸어 담았다. 탁자 밑으로 떨어진 다이어리를 발견한 우현이는 잠시 멈칫하더니 빗자루로 끌어 단번에 손에 쥐였다. 차에 젖어 쭈글쭈글해진 다이어리의 물기를 털어냈다. 쓰인 내용을 본 뒤 잠시 고민하는가 싶더니 다이어리를 탁자 위에 올려두었다. 다이어리는 잉크가 번져 알아볼 수 없는 상태였다.

"바닥 쓸고 닦긴 했어도 위험할 수 있어."

나의 걱정과는 다르게 위험하다며 정리되어 있던 슬리퍼를 신겨 주었다. 손길은 익숙해지지 않았다.

우현이는 마주 보는 자리에 앉아 굳어버린 피딱지를 떼어냈다. 표정에서 아픔이 드러났다. 기백이 두려움을 침범하는 순간에 우현이를 향해 손을 곧게 뻗었다.

"괜찮아. 걱정하지 마."

뻗은 손목을 가볍게 잡곤 나를 향해 눈웃음을 지었다.

"뭐가 좋다고 자꾸 웃어."

"걱정해 주는 게 좋아서."

"누가 걱정을 했어. 책임지려고 했던 거뿐이야."

"그게 그거지."

살포시 웃는 우현이였다. 감정은 머지않아, 우리 곁을 맴돈다.

몇 년 만에 느껴보는 찬란함에 잠시 미친 것 같았다. 또다시 나를 버린 세상을 사랑하기엔 너무 먼 길을 와버린 거 아닐까. 왔던 길로 돌아가기엔 어둡고 험난해서 출구를 찾기 어려웠다.

이 길은 방황을 바라는 미로의 늪이었나. 헤아릴 수 없는 멀미를 애써 잡으려고 노력했다.

"혹시라도 내가 편해진 거라면. 정말 그런 거라면, 같이 파도를 찾자."

우현이는 파르르 떨리는 입술을 감췄다. 도로 숙여지는 고개를 따라 머리를 긁적였다. 그가 뭐라고 구원을 해준다는 건지 깊은숨을 몰아 내쉬며 조용한 고요를 느꼈다. 좀 잡을 수 없는 감정에 붉게 물든 눈가를 비비며 조심스레 입을 열었다.

"겨우 열일곱인 네가 뭘 할 수 있는데."

"겨우 열일곱인 너는 뭘 할 수 있는데."

우현이는 나의 말을 따라 하며 미소를 지었다. 같은 말이었음에도 뜻이 달랐다. 마주잡은 손이 따뜻했다.

"파도는 휘몰아치는 순간을 사랑하면 돼."

나의 말 한마디에 자세를 고쳐잡는 우현이였다.

"어렵게 생각할 거 없어. 네가 말했던 것처럼, 파도가 휘몰아치는 순간을 사랑하면 되는 것처럼, 우리가 함께한 잠깐의 순간을 소중하듯 대해주면 돼. 정말 마지막으로 부탁할게. 힘들겠지만 살아가."

우현이의 간절한 말에도 어렵게 선택한 결심은 꿋꿋했다.

"후회할 짓 하지 마."

"요즘 여행을 다니고 싶었는데 잘된 일이지."

"우리는 같이할 운명이 아니야. 교문에서도 바다에서도."

"운명을 만드는 것도 좋다고 생각해."

애초에 운명도 믿지 못했다.

"서로의 삶에 나타난 스쳐 지나갈 인연일 뿐이고. 그냥 쉽게 말하면 계절 같은 거지. 가지 않았으면 하고 끝까지 남아있으면 해도 결국엔 씁쓸한 단맛을 보여주곤 속절없이 지나가는 사계절 같은 거. 같은 세상에 존재하면서 알아채지 못하면 끝까지 모르는 계절 같은 거."

우현이는 입술을 깨무는 게 버릇인 듯했다. 바라는 걸 이루지 못할 때, 바라는 게 있을 때 그럴 때마다 입술을 깨물었다. 내려앉은 피딱지가 떼어지며 우현의 피를 눈에 담았다.

"계절에 대해 그렇게 잘 알아?"

"표현하자면 그렇다는 거지."

나의 말에 불만이 있는 사람처럼 우현이는 거칠게 머리를 쓸어 넘겼다. 쳐진 눈꼬리가 마음에 걸렸다.

“그럼, 계절이 몇 모르게 바뀌어도 다시 돌아온다는 것도 잘 알겠네.”

“뭐?”

“내년이든 내후년이든 사계절처럼 다시 만날 거야.”

다문 입술에선 피가 흘렀고 나는 자리에서 일어났다. 나와 눈을 맞추며 흔들리는 마음을 애써 참는게 눈에 보였다. 다시 만날 거란 생각 하나만으로 나를 놓아주는 것 같았다.

“대신 죽지 마.”

짧은 말 한마디가 이렇게 무거웠나.

잠시 함께한 우리는 각자의 자리에서 깊어져만 간다. 아찔하게 붙잡아오는 손을 떼어내고 간절해 보이는 그를 뒤로한 채 서서히 걸음을 옮겼다. 말끔한 현관 앞에서 헌 신발을 신고 미련 없이 문을 열었다. 찬 바람이 불어오며 익숙하지 않은 풍경이 보였다.

잠시 길을 헤맸지만 헤매는 일은 익숙했다. 걷다 보면 어딘지 대충 어림잡을 수 있었다. 사람들의 시선의 피해서 건물 사이로 들어갔다. 골목에 들어서 차가운 벽에 몸을 기대었다. 숨을 몰아 내쉬며 조금 전에 느꼈던 온기를 지우려 손목을 긁었다.

빨갛게 물든 손목이 보기 좋게 부어올랐다. 나는 이미 알고 있었다. 부어오른 손목을 보고 겨우 숨을 쉬는 나를 해가 없는 그가 절대 구제해 줄 수 없다는 것을.

처음 교문에서 마주한 그날도 나는 그저 그와 내가 언젠가 다시 스칠 인연이라면 우연인 듯 필연처럼 지나가길 바랐다. 아이스크림을 들고 있던 그에게서 지은이의 모습이 닮아있어서 나도 모르게 피하게 되었다.

나를 부르던 목소리와 나에게 머문 두 시선이, 뚜렷하던 백우현 당신의 보조개가, 다시는 떠오르지 않으면 좋겠다. 다시는 만나지 않으면 좋겠다.

바다를 안은 소라 이야기

2025년

이른 새벽 집을 나섰다. 흰 티셔츠에 무난한 외투를 하나 걸치고, 몇 벌 없는 바지를 살피며. 눈에 띄는 바지를 골라 입었다. 나를 죽일 것 같던 어둠을 뚫고 거리를 나오니 한결 나아지는 기분이었다. 낮은 건물 사이 비춰오는 불빛들을 보며 길을 걸었다. 이른 새벽부터 불이 켜진 저들의 하루는 어떻게 시작될지 생각해 보곤 했었다.

같은 시간에 일어난 그들은 어떤 꿈을 꿨을지, 꿈이 아프진 않았는지 항상 답이 없는 질문을 떠올렸다. 정말 쓸데없이. 맨 끝 자리에 머문 건물 가장자리에서 웃음소리가 들려왔다. 소리에 따라 고개를 들었다. 베란다 문을 활짝 열곤 해맑게 웃으며 담배를 나눠 피우고 있는 모습이 보였다.

후줄근한 차림새의 남자와 민망찮은 여자의 모습에 괜스레 눈을 피하게 되었다. 굳이 따지자면 사랑을 훔쳐본 기분이었다. 우연찮게 마주한 그들의 행복은 나의 마음을 아프게 만들었다. 헛발을 내딛으며 그저 쓴웃음을 짓곤 발걸음을 옮겼다.

매년 3월에 마주하는 바다는 여전했다. 어둠을 딛고 길거리를 걷다 보니 어느새 바다가 보였다. 멀리서 몇 번이고 오고 갔을 바다를 향해 달렸다. 드넓은 모래사장을 뛰었다. 유일한 나의 쉼터. 푸른 바다. 나의 구원이자, 죽음. 푸르른 바다 곁으로 가까워졌다.

"바다…."

바다 앞에 선 나를 자각하곤 코웃음을 쳤다. 백우현이라는 이름을 가진 남자와 만났던 자리에 자연스레 다가선 나를 깨달았다. 점차 잊혀질거라 생각했는데 한순간도 잊혀지지 않았다. 거짓된 마음으로 나는 내 마음속 자신을 속여왔다.

잊을 수 없는 1년 전 그날. 파도가 휘몰아치고 떨리는 손으로 애처롭게 잡아 오던 손목. 여느 사람들보다 뜨거웠던 모든 온기가 아직도 생생했다. 시련 앞에 도착해 여러 감정이 휘몰아치듯 지나갔다. 이러면 안 되는데 나도 모르게 그를 찾고 있던 건가.

잠깐의 여운이 나에게 큰 영향을 미친 건가. 복잡해지는 머리에 힘없이 고개를 내저었다. 아닐 거라는 말을 반복하며 바다에 가까워졌다. 1년 전과는 다른 목적으로 바다 앞에 섰다. 차가운 바닷물이 발끝을 스쳤다.

아무리 사랑하는 사람이라도 뛰어드는 걸 두려워하는데. 그는 어떤 마음으로 달려든 건지.

간질거리는 느낌에 발을 꺼내 들었다. 발 사이로 파고드는 모래의 감촉이 마음에 들지 않았다. 축축한 모래 위 고르게 나열되는 발자국을 보며 고개를 돌렸다. 여러 개의 발자국은 들어오는 바닷물에 의해 점차 흐려지고 있었다. 다시 새겨지고 지워지고를 반복하겠지.

밝은 해를 바라보고 차가운 물을 느껴보고 다른 크기의 선명한 발자국들을 관찰했다. 언젠가는 전부 사라질 흔적이었다. 달갑지 않은 마음에 저만치 떨어져 있던 소라를 집어 바다 곁에서 빠져나왔다.

"엄마! 왕물꼬기예요!"

"왕물고기가 아니라, 저건 미역이야."

"아빠 완죤 바보! 저건 물꼬기라구요!"

"그렇네. 우리 민지 똑똑하네~"

마루턱 주변으로 올라오니 사람들의 목소리가 들려왔다. 어린 아이의 웃음소리와 그보다 큰 부모의 웃음소리. 한 가족이 옹기종기 모여 행복을 속삭이고 있었다. 아무런 흠 없이 서로를 사랑하는 눈빛으로 같은 곳을 바라보며 행복을 나누고 있었다.

수많은 사랑이 비롯된 연인들이 아련을 약속했다. 그들을 바라보다 손에 들린 소라를 귀에 가져다 댔다. 고유진동수를 가진 소라에서 바닷소리가 들려왔다. 두 눈을 지그시 감고 소리에 집중했다.

나선형 골을 따라 휘몰아치는 소리가 해변에서 파도를 따라 불어오는 바람 소리와 유사하다. 천천히 소라 속에 담긴 바닷소리를 들으며 바닷바람을 들이마셨다. 불안정한 마음이 한결 안정되는 기분이었다.

한참 동안 듣다 어느 정도 소리가 먹먹해졌을 때 소라를 떼어내곤 천천히 눈을 떴다. 세상 모든 불운이 소라가 무서워 도망을 친 것 같았다. 손에 들린 소라를 바닥에 내려두곤 걸어온 발자국을 따라 걸었다.

내가 밟은 모든 길에 흔적이 남았다. 보기 싫은 무늬의 신발자국이 모래에 찍혔다. 고개를 들어 주위를 살피니, 흐리멍덩한 시야 사이로 마스크와 모자를 눌러쓴 남자가 보였다. 바다와 어울리지 않은 옷을 입고서 나를 쳐다보고 있었다. 언제부터 보고 있었던 거지. 두려운 마음에 서둘러 자리를 옮겼다.

고개를 살짝 돌려 그쪽을 쳐다보니 나의 발길을 따라 움직이는 그의 실루엣이 스쳤다. 순간 직감적으로 큰일이 날 수도 있겠다는 마음이 들어 눈앞에 보이는 편의점으로 달려가야 할지 바닷속으로 뛰어들어 미친놈을 떼어내야 할지 고민했다. 무턱대고 편의점에 들어갔다가 저 사람이 칼이라도 사면 어쩌지 하는 불안감이 몰려왔다.

"잠시만!"

초조해하는 나의 뒤로 우렁찬 남자의 목소리가 들려왔다. 꽤 먼 거리에서 들리는 목소리에 진정하며 몸을 돌렸다.

얼굴을 가렸던 남자는 쓰고 있던 검은 모자와 얼굴을 틀어막고 있던 큰 마스크까지 벗었다. 휑한 얼굴이 보이고 두 눈을 의심했다. 멀리서 자신의 양손을 포개어 귀에 가져다 대는 시늉을 했다. '안녕' 남자의 입 모양을 읽었고, 작게 움직이던 입 모양은 분명히 안녕이었다.

혹여 환영이 보이는 건가 싶어 잽싸게 두 눈을 비볐다. 그걸로도 부족해 두어 번 더 수차례 확인했다. 믿기지 않는 표정으로 남자를 쳐다봤다. '백우현이야.' 들고 있던 손을 내린 채 나를 향해 웃는 그였다. 물론 입모양으로 읽히는 내용은 시답잖았다.

'잘 지냈어?' 사계절이 지나고 그가 돌아왔다. 우현은 내가 모르는 새에 자신의 빈자리를 채우고 있었다. 오랜만에 만난 그의 표정은 왠지 모를 슬픔이 느껴졌다. 오묘한 표정을 읽었을 때 파도 소리가 들려오며 애잔한 마음이 파도처럼 밀려오는 듯했다.

그가 말하길 나는 모든 행운이 침식되어 가는 표정을 짓고 있었다고 했다. 우현이에게 전하고 싶은 말과 따분한 감정이 샘솟았다. 솔직히 말해서 잡은 손을 놓기 싫었다고 말하고 싶었다. 가식처럼 느껴질 수도 있다는 생각에 다가서지 못했다. 그냥 물음에 간단히 잘 지내지 못했다고 말하고 싶었다.

어둠 가득했던 내 삶에 당신이 오고 간 이후로 생에 지장이 생겨버렸다고 그냥 짧은 말 한마디를 얘기하고 싶었다. 사실 안 괜찮으니, 나에게 한 번만 다시 손을 내밀어달라고. 전하고 싶었다. 나는 아직 바다가 아닌 모든 것들에 서툴러서 다가가기 어렵다고. 구원을 내몰아서 미안하다고.

나의 우울과 결핍을 가져가 달라고. 얘기하고 싶었다. 우현이에게 무미건조한 말과 목소리가 들릴까 싶었다. 나의 표정 속에 그에게 든 생각은 무엇일지 궁금했다. 이 감정이 어긋나 너에게 상처를 주진 않을까. 망설임이 배가 되었다. 혹여 지나쳐가야 하는 건 아닐까. 뒤늦은 생각이 떠올랐다.

세월이 지나고 다시 만나는 날 구원해 주리라 다짐했던 날들이 무너지는 것 같았다. 우현이와의 감정은 수없이 엇갈렸다. 흔들리는 시선 속에서 영원을 말할 수 있을까. 우리는 영원할 수 있을까. 서로의 손을 잡을 수 있을까.

'응. 잘 지냈어.'

사람은 정말 어리석다. 솔직하지 못한 내가 싫었다. 나의 입모양을 읽은 건지 우현이는 입술을 깨물며 내게서 등을 돌렸다. 등돌린 우현이를 마주하는 순간 고개가 절로 떨어졌다. 입을 꾹 다문 채 멀어져가는 우현이를 잡을 수 없었다.

백우현, 네가 내민 손이 구원이 아니라고 생각했지만, 막상 너를 보니, 사랑을 그리고 사람을 구걸하게 돼. 멀어져가는 너를 놓치기 싫었어. 웃기지. 왜 놓기 싫었을까. 오늘이 지나가면 나는 또 나를 속여가며 너를 찾고 있겠지.

슬며시 감고서 호흡을 내쉬던 너는 나의 손을 잡고 싶은 마음을 진정시키느라 그랬던 걸까. 그게 아니면 나를 잡고 싶은 마음이 사라져 충동적인 행동을 추스르기 위해 그랬던 걸까. 이기적인 나는 겨우 이런 생각밖에 못 하네.

네가 나의 세상으로 돌아와 주길. 또 한 번의 인연이길. 지겹도록 붙어먹을 사랑이길. 기나긴 공백은 너의 말을 뿌리쳤던 것에 대한 죗값을 치르는 거라고 생각하고 있을게. 그러니까 언젠가는 내게 돌아와서 벌을 매겨줘.

살아있을 테니 또다시 나를 찾아줘.

며칠 전까지만 해도 줄을 서고 먹을 정도로 동네에서 인기가 많던 수제버거집이 망했다. 리모델링을 진행하는 줄 알았던 가게는 이튿날 임대 딱지가 붙어있었다.

꼬박 며칠 사이에 벌어진 일이었다.

옆집에는 꽃을 파는 꽃집이 있었는데, 문 앞에는 '오늘 하루를 꽃과 시작하세요.'라는 형식적인 문구가 붙어있었다. 잠시 꽃이라도 구경할까, 꽃집을 들어섰다.

가지각색의 꽃들이 어여쁘게 포장되어 벽에 달려있었다. 여러 가지의 화분도 놓여있는 듯했다. 파란색, 보라색, 노란색, 초록색. 다양한 색들의 꽃이 눈에 들어왔다. 밖에서 봤을 땐 작아 보이던 꽃집이 안으로 들어서니 꽤 큰 평이었다.

"안녕하세요!"

쩌렁쩌렁한 목소리가 귓가를 파고들었다. 해맑은 미소를 지은 채 누군가 말을 걸어왔다. 화려한 앞치마를 입은 꽃집 사장님이었다. 무인이라고 적혀있었던 것 같은데. 고개를 돌려 창문을 확인했다. 정확히 무인점 세글자가 적힌 종이가 붙어있었다.

"아, 꽃 빈자리 채우러 잠시 나온 거라, 여기 무인점 맞아요!"

사장님은 당황한 걸 느낀 것인지 처음엔 다 그렇다며 호탕하게 웃었다. 옆에 놓여있던 분무기를 들고 와 꽃을 향해 뿌린다. 물을 맞은 잎들이 얕게 흔들렸다.

"들어오신 김에 꽃 추천이라도 해드릴까요? 오늘이 아니더라도 다음에 꽃 선물할 때 도움이 될 거예요. 그때 서비스 이용해주셔도 되고요."

해가 될 게 없다는 생각에 별수 없이 고개를 끄덕였다. 진열된 꽃들이 눈에 들어왔다. 사장님은 입고 있던 앞치마를 풀어헤치며 눈앞에 놓인 꽃을 향해 손짓했다.

"계절마다 볼 수 있는 꽃이 달라서 많이 봐둬야 해요. 봄에 이쁜 튤립이나 수선화가 있는데도 불구하고 여름에 나는 해바라기를 보고 싶어 하는 건 좀 그렇잖아요."

"보통 그러면 조화로 판매하지 않나요?"

"조화는 느낌 자체가 다르죠. 아직 꽃이 남아있으면 계절 꽃은 귀하니까 정말 소중한 분께 드리라고 하는데, 없으면 조화를 권하긴 해요. 그런데 거의 대부분의 사람들이 생화를 원하시고요."

사장님의 말에 홀린 듯 고개를 끄덕였다.

확실히 생화를 좋아하시는 분들이 많구나.

"그런데 그것도 예전에, 가게에 나올 때 그랬던 거였고 지금은 무인점이라서 예약할 때랑 여기서 보시는 것들 위주로 사 가셔서 딱히 힘들지 않아요. 무리하게 요구를 해오시는 분들도 안 계시고요."

"다행이네요."

"네 뭐, 그렇죠!"

활기찬 사장님의 말에 어떤 말을 덧붙이기 어려웠다. 어렵사리 준비한 생화라도 실제로 생화를 정성스레 길러 평생을 키워주는 사람이 있긴 할까. 보통 길면 일주일, 짧으면 삼일. 뭣하나 걱정 없이 싫증이 나버리는 게 인간이다.

졸업을 축하한다며 쥐여주고 합격을 축하한다며 쥐여주는 꽃다발은 무언가를 기념하고 축하하기 위해 사들이는 이쁜 쓰레기일 뿐이다. 자본주의 사회에 보여주기식 장식일 뿐이다. 사진을 찍을 땐 의미가 담긴 축복이고 현실은 메말라 죽어가는, 쓸모없는 선물이다.

"음.. 물망초라는 꽃은 들어보셨을 것 같은데."

잠시 고민하는 사장님을 향해 입을 열었다.

"네. 날 잊지 마세요.라는 꽃말을 담고 있잖아요."

두 눈이 동그래진 사장님은 나를 보곤 웃었다.

"꽃말까지 알고 계시네요? 생각보다 꽃에 관심이 많으신 분이셨네. 내가 그런 분을 몰라보다니."

사장님의 말에 별거 아니라며 두 손을 휘저었다.

물망초에 전해 내려오는 이야기에 따르면 독일의 루돌프라는 기사와 벨트라는 여인이 서로 사랑하고 있었다. 이들은 도나우 강 강가를 걷고 있었는데 본 적 없는 아름다운 보라색 꽃을 보게 되었다.

루돌프는 벨 타인에게 꽃을 주려고 강을 건너 꽃을 가져오다 강물의 거센 물결에 휩쓸렸고 그는 마지막 온힘을 다해 그녀에게 꽃을 던진 다음 '나를 잊지 말아주시오.'라는 말을 남기고 물결에 휩쓸려 빠졌다는 이야기가 있다.

사랑의 유래마저도 아픈 꽃이었다.

"그래도 꽃말은 모르시는 분들이 대부분이세요."

"뭐, 꽃집 사장님보다 더하겠나요, 그냥, 예전에 저도 꽃집에 대한 꿈을 생각하기도 했었고…."

"꽃집이요?"

뿌듯해 보이는 미소 뒤로 으쓱이는 어깨가 보였다.

"네. 뭐, 지금은…. 아니지만."

물망초는 내가 사랑하던 꽃들 중 하나였다. 단지, 꽃말이 기억에 남아서 꽃을 찾아다니게 되었고, 꽃에 대한 환상이 넘쳐날 시기가 다가왔다.

꽃을 좋아하게 되니 꽃을 찾아보는 시간이 잦아지면서 꽃말이 존재하는 이유가 궁금해졌고 찾아보는 도중 꽃말의 유래가 있다는 걸 알게 되었다. 잠깐 찾아본 유래는 꽤 재밌었다. 같은 물망초라도 내려오는 이야기는 두 개가 넘었다.

꽃들을 보며 유래를 찾는 게 좋았다.

아무런 걱정 없이 빠져들 수 있어서. 많이 좋아했었다.

"그러면 제가 안 알려드려도 많이 알고 계실 것 같은데요?"

가슴이 두근거렸다. 아니라며 손을 저어 보였지만 의심 가득한 눈으로 나를 쳐다본다. 딱히 알아주길 바랐던 건 아닌데, 줄줄이 늘어놓은 말을 주워 담았다. 이야기 사이로 파고드는 꽃의 진한 내음이 좋았다.

"이 꽃은 이름이 뭐예요?"

손짓 한 번에 꽃집 사장님은 손뼉을 쳤다. 들뜬 얼굴로 이쁘게 포장되어 있는 꽃다발을 꺼내 들었다. 색이 정말 이쁘지 않냐며 신이 난 얼굴로 꽃을 가리켰다.

"한국에선 하와이 무궁화로 불리는 친구인데, 제대로 된 명칭은 히비스커스예요."

"히비스커스요?"

"네. 열대지방 쪽에서 분포된 꽃인데. 우리나라에선 차로도 많이들 먹어요."

히비스커스. 실제로 처음 보는 꽃이었다. 지은이가 그토록 사랑하던 꽃. 어영부영 마주한 히비스커스는 어떤 단어를 덧붙이기엔 흠 없이 예뻤다. 한낱 머문 사랑 얘기가 한낱 제자리에 멈춰 섰다.

"섬세한 사랑의 아름다움 또는 아무도 모르게 혼자 간직한 사랑이라는 꽃말을 갖고 있는데, 보통 꽃말을 알고 드시진 않죠. 그냥 효능 보고 먹는 거지."

따뜻했던 붉은 색의 차. 우현이 주었던 차가 떠올랐다. 긴장감이 완화되고 스트레스가 줄어들고. 또 뭐라고 했더라.

실제로 차의 효능을 믿지 않는 나로서는 신기했다. 그가 주던 히비스커스 차도, 우연찮게 만난 히비스커스 꽃다발도 전부 우연으로 시작된 것들이었다.

“히비스커스라는 꽃, 엄청나게 좋아하던 여자애가 정말 좋아하던 꽃이었는데.”

좋아한 이유를 이제야 찾은 것 같았다.

“어머. 그래요?”

사장님은 꽃다운 미소를 지으며 나를 바라봤다.

“좋죠. 저도 정말 좋아하는데. 아침에는 흰색, 낮에는 분홍색, 저녁에는 빨간색. 온도에 따라 색이 바뀌는 거 정말 신기하지 않아요?”

빛보다는 온도의 영향을 받는 꽃. 민감하고 까다롭다. 그만큼 자신을 보여줄 수 있는 꽃이었다. 지은이가 사랑하던 이유가 이것 때문이지 않았을까.

“어머, 나 좀 봐. 이거 선물로 드리면 되겠다. 바로 포장해 줄 테니까, 가지고 가요!”

“아, 아니요. 괜찮아요.”

“왜요, 받으면 좋아하실 것 같은데?”

줄 수 있다면 좋았을 텐데.

“지금 줄 수 있는 상황도 아니고요.”

활짝 편 사장님의 표정을 보니 무슨 말을 이어야 할지 도무지 떠오르지 않았다. 흐려진 대답에 분위기가 순식간에 가라앉았다. 썰렁해진 날씨 탓에 괜히 멋쩍어 밖으로 고개를 내밀었다.

어둡던 새벽 하늘은 어디로 숨은 건지 밝은 해가 떠오르고 있었다.

"그럼, 잠시만 있어 봐요."

짧은 말 한마디를 뱉곤 어디론가 들어가는가 싶더니 갑자기 다른 꽃다발을 들고나왔다. 사장님의 손에 들린 꽃다발을 보며 의문을 품었다.

"플루메리아라는 꽃인데. 선물로 줄게요."

"네? 아니요. 갑자기 이걸 왜…. 괜찮아요."

"별거 아니에요. 조화라서 하나 정도."

손에 들린 꽃을 이리저리 흔들었다. 팔 떨어진다며 빨리 받으라는 듯 꽃을 들이미는 사장님에 끝까지 손사래를 쳤다.

"선물인데 성의를 봐서라도 받아주지."

풀이 죽은 말투와는 달리 매서운 눈빛으로 나를 쳐다봤다. 부담스러워 자리를 피하려 하니 다급하게 돌진해 왔다. 정말 별거 아니라며 나의 손에 꽃을 쥐여주었다. 손에 들린 꽃다발이 무겁게 느껴졌다.

"정말 괜찮으니까 얼른 가요. 꽃말은 집에 가서 검색해 보고요!"

다급한 사장님의 손짓에 결국 등 떠밀려 꽃집을 나왔다. 손에 들린 꽃을 바라봤다. 어쩌면 대화가 지쳐 쫓겨난 걸지도 모르겠다. 밝은 빛이 떠오른 하늘을 보며 터덜터덜 길을 걸었다. 여전히 집을 가는 길은 가볍지 않았다.

집과 가까워질수록 짙어지는 쾌쾌한 공기에 눈살을 찌푸렸다. 눈앞에 보이는 담배꽁초를 걷어찼다. 또 옆집 아저씨 짓인가. 항상 담배꽁초를 버리는 옆집 아저씨가 있었다.

지독한 인연이었던 옆집 아저씨. 담배꽁초에 대한 청소는 내 몫이었다. 한날 한마디를 하기 위해 옆집 아저씨를 찾아간 적이 있었는데, 막상 대문 앞에 도착하니 아무 짓도, 아무것도 할 수 없었다. 옆에 놓인 초인종을 누를 용기가 나지 않았고, 손에 들린 담배꽁초를 담 너머로 던질 자신도 없었다.

그렇게 한 시간, 두 시간. 시간이 흐르고 세 시간이 지날 무렵, 아무 말도 못 하고 집으로 돌아와 나머지 담배꽁초를 치웠다. 고작 옆집 아저씨를 보면 불안이 커진다는 이유 하나만으로, 이도 저도 못하며 쓰레기를 주워 담았다. 아마 부모가 남긴 나의 아픔이었을 것이다.

꽃을 두기에 마땅히 좋은 곳이 없어, 구석에 박혀있던 유리병을 꺼내 들었다. 텅 빈 병을 씻어 꽃을 집어넣었다. 우울한 집과는 상반되는 분위기에 헛웃음이 새어 나왔다. 꽃이 우울을 먹고 시들면 어떡하지. 말이 안 되는 생각을하며 허름한 책상에 엎드렸다. 눈앞에 놓인 꽃은 생명이 없는데 잘 키울 수 있을까.

깊은숨을 들이마시며 나지도 않는 꽃 향을 맡았다.

내가 받은 꽃은 달갑지 않은 플루메리아라는 꽃이었다. 플루메리아 꽃말은, 축복받은 사람. 다른 꽃처럼 꽃말이 존재하고 다른 꽃처럼 색이 존재하는 플루메리아. 내가 너무 싫어하는 플루메리아. 항상 플루메리아꽃을 찾아볼 때면 들던 생각이 있었다. 정말 축복받는 사람이 존재하긴 할까 하고. 그냥. 꽃말 하나에 회의감이 들었다.

푸른소다맛 슬러시

계절이 변해감과 동시에 서서히 사무치던 그가 잊히고 있었다. 바다를 찾는 사람이 많아지는 계절이 다가왔다. 시원한 바람보다 뜨거운 바람이 불어오고 핫팩을 들고 다니기보다 아이스크림을 한입 더 베어 물던, 여름이 왔다.

가로등이 고장이 난 건지 그을진 골목은 아침이라기엔 어두웠다. 골목길에 옹기종기 모여있는 슬러시 집이 보였다. 나의 시선이 머무는 곳들의 모양새는 비슷했다.

슬러시 집 한곳이 여러 가지 종류의 슬러시를 팔아 인기가 많았다. 학교 앞에 있던 골목이라 학교가 끝난 후 슬러시를 먹으러 오는 학생들이 많았다. 반팔티를 입어 훤히 드러나는 팔을 보게 되었다. 흉터 하나 없는 팔의 자태가 부러웠다.

슬러시 한입 크게 먹어 삼키고는 머리가 띵하다며 눈을 찌푸리는 그들의 모습은 아직 어린아이 같았다. 철이 들기엔 이른 모습 같았다. 슬러시집 앞에 옹기종기 모여있던 그들은 이제 다른 곳을 가자며 아주머니와 인사를 나눴다.

웃는 모습들이 좋아 보였다.

볼거리가 사라져 잠시 자리에 머물렀다. 잘 떠지지 않는 두 눈을 비비며 그들을 쳐다보았다. 어여쁜 보조개와, 헝클어진 머리.

"그래서 어디 갈 건데."

여름이 오기 전 내게 히비스커스 차를 내어주던.

"몰라, 백우현 네가 슬러시 먹고 피시방 가자며."

"에어컨 빵빵하게 틀어줘서 시원하잖아. 게임 아니면 우리가 할 게 뭐 있냐?"

바다에서 봤던 모습이 아닌 다시 십대에 어울리는 모습으로. 청량한 목소리가 귓가를 파고들었다. 잊히던 기억이 되살아났다. 서서히 마음속에서 진실된 마음이 꽃을 피웠다. 뭉게구름처럼 떠올랐다. 마음이 아려왔다.

단정하게 입은 교복…. 생기 돋는 얼굴과 제각각의 모습이 내가 찾던 낙원을 닮아있었다. 애틋하면서도 따뜻한 모습이 너무나도 부러웠다. 깊은숨을 몰아 내쉬며 몸을 돌려세웠다.

멀어지는 목소리에 두 눈을 감았다. 내가 놓친 낙원을 먼저 탐해서는 안 돼. 내가 참아온 2달이라는 시간이 물거품이 되지 않도록, 떼어지지 않는 발걸음을 옮기며 다시 만난 그와의 거리가 멀어졌다.

언제 한번 스치는 날이 또 오길 바라며, 또 도망을 선택했다. 그때는 백우현 그가 먼저 나를 발견하길 바라며 나는 어둠으로 숨었다.

급하게 골목으로 들어갔다. 담배 냄새를 맡고, 낯선 향에 눈을 찌푸렸다.

"담배 냄새…."

잔뜩 찌푸린 얼굴로 코를 막았다.

"슬러시 먹을래?"

어느새 익숙해져 버린 목소리가 귀를 스쳤다. 달콤한 향에 휩싸였다.

"백우현이야."

뒤에서 곧게 뻗은 팔이 얼마나 긴지, 가지런히 펼쳐진 그의 손을 바라보았다.

"다시 만났는데 왜 도망가?"

안도의 한숨이 차올랐다. 천천히 뒤를 돌아 그와 마주했다.

"...울어?"

정말 꿈만 같았다. 두볼 위로 뜨거운 눈물이 흘렀다. 나의 감정을 속이며 지내오던 날이 한심하게 느껴졌다. 누구보다 원했으면서, 기다렸으면서. 나를 사랑해 줄 수 있는 마지막 희망이었던 나까지도 내 진실된 마음을 외면했다. 날 바라보는 그의 눈빛이 변하지 않아서 다행이었다. 내게 온 당신이라서 다행이었다.

"많이 힘들었나봐, 이제 와서 미안해."

다정했다. 닦아주는 손길이 너무 다정해서, 다시는 놓치면 안 될 것 같았다. 더위에 녹아내리는 슬러시가 눈에 들어왔다. 발그레해진 두 볼과 눈 주위. 이 사람이 없는 시간이 길긴 길었나보다.

어느덧 여름이 다가왔다.

우리 처음 만났던 봄이 여름으로 바뀌어 나에게 돌아왔다. 잠깐 맛본 그의 낙원에 몇 개월을 앓았다.

"미,안해."

말 한마디를 내뱉었을 뿐인데. 해맑게 웃었다. 사랑스러운 눈망울로 내게 온 사랑이.

손을 마주잡고 지저분한 골목길을 빠져나왔다. 함께 있던 친구들은 어디 갔나 했는데. 골목을 빠져나오니 슬러시 집 앞에서 기다리고 있었다.

불만 가득한 눈으로 이를 쳐다봤다. 우현이는 머쓱한 듯 웃으며 내일 보자는 인사를 건넸다. 어중간한 인사에 그의 친구들은 탐탁지 않아 보였지만, 나를 흘깃 보고는 알겠다며 유유히 길을 나섰다. 걸어가는 둘을 멍하니 보고 있던 나를 불러세웠다.

"이거 슬러시인데. 다 먹을 수 있지?"

플라스틱 컵 한가득 담긴 슬러시를 쥐여주었다.

"왜 주는 거야?"

"사과해 준 거 고마워서?"

짓궂게 웃는 그였다.

"장난이고, 지금 줄 수 있는 게 이거밖에 없어서."

"안 줘도 돼."

"살아있어줘서 고마워."

동서문답이었다. 당신 덕분에 살아온 나에게 고맙다니. 오히려 내가 고마워 슬러시를 사줘야 하는 건 아닌가. 괜스레 머쓱해진 상황에 목을 가다듬었다.

올라간 옷깃을 정리하고 더위에 손부채질했다. 선풍기를 꺼내 들어 나에게 받으라는 제스처를 취했다. 뽕이 들어찬 어깨가 웃겨서 나도 모르게 웃음이 나왔다.

시원한 바람이 불었다. 작은 선풍기에서 이렇게나 시원한 바람이 나오다니, 고맙다는 말을 전하려 입을 여는 순간에,

"뛰자."

두 마디로 나를 끌어당겼다.

차 한 대 지나다니지 않는 이곳이 평화로워서 다행으로만 느껴졌다. 홀로 남들의 부러움을 사서 걷던 골목에 내 웃음이 번진다. 반짝이는 불빛들이 빠르게 흩어졌다.

우리는 아직 미래를 알 수 없는 십대의 끝자락에서 살아 숨을 쉬고 있었다. 언제 죽을지 죽음에 관한 생각도 하지 않으며, 거리를 누볐다.

나의 방향에 따라 볼품없게 흔들리는 선풍기가 웃겼다. 혹시라도 선풍기가 떨어지진 않을까 조마조마해하며 주머니를 있는 힘껏 눌렀다. 손에 들린 슬러시와 주머니에 넣어둔 선풍기가 뜨

거운 여름 바람이 무색하게 찬바람으로 불어왔다.

뛰는 자태가 웃기긴 했지만, 난 나대로 괜찮았다. 이 감정을 느끼기까지 8년이 걸렸기에. 생에서 아름다운 순간이었다고 자부할 수 있을 것 같았다.

기나긴 2개월짜리 공백을 채워준 그가 나의 낙원이 되었다.

✧

도착한 곳은 자그마한 놀이터였다. 풀숲에 뒤덮혀 있는 모습이었다, 어린시절, 낮에는 어린이들의 휴식처. 어두운 밤엔 술에 취해 잠에 든 어른들의 집이 되어주던 곳이었다. 가끔은 나의 위로가 되어 동심을 찾아주던 동네 놀이터.

흔히 볼 수 있는 놀이터에 내가 이렇게까지 반응하는 건 고작 놀이터여서가 아니라, 풀숲에 싸여 있는 놀이터라서. 언젠가 사라져 버릴 것 같이. 낡아빠져 아무도 찾지 않는듯했다. 아무도 찾지 않을듯했다.

“이런 곳은 어떻게 알아?”

“어릴 때 친구랑 같이 왔어. 예전에는 풀도 없고 사람도 많았는데. 점점 관리가 없어지더니 이렇게 변해버렸더라고. 세월이 무색하게.”

뒤덮여버린 추억에 무슨 생각을 떠올리는 걸까. 멍하니 놀이터를 바라보는 그의 모습을 바라보았다.

“나도 친구랑 놀이터 많이 놀러 다녔는데. 힘들 때마다 걔가 놀이터 데려갔었거든. 그런데 지금은 어디였는지 기억도 안 나. 걔가 데리고 갈 때마다 갔던 곳이기도 했고, 벌써 8년 전 일이라서."

지은이의 모습이 떠올랐다. 항상 내 곁을 맴돌던, 히비스커스도, 놀이터도 지은이와 닮아있는 그의 모습에 문득문득 지은이가 떠올랐다.

"여자아이였어?"

"응. 꽤 친했는데. 어느날 갑자기 사라졌어. 걔한테 나는 친하거나 소중한 친구가 아니었던 거지."

지은이의 행방을 알 방법이 없었다. 우리는 만나지 못했다. 나의 불행이 뎌던 이별과 함께 시작되었다.

"저기 가서 앉을까?"

우울함을 외면한 채 그의 말을 따라 벤치에 앉았다.

"여자아이, 널 그리워하고 있을 거야."

앉자마자 지은이를 얘기하는 우현이에 입술을 깨물었다. 정말 그런 거라면 얼마나 좋을까.

"그건 다 바람일 뿐이지. 꼭 그렇게 말 안 해줘도 돼."

"예의상 하는 말 아닌데. 진실인지는 아직 모르는 거잖아."

"진실일 수도 있지. 쉽게 기대하면 안 돼."

나의 말에 코웃음을 쳤다.

"왜 웃어?"

"아니, 기대하는거에 되고 안되고가 어딨어."

"되도록 안 하면 좋다 이거지."

“뭐 어때, 내 인생인데.”

아무리 내 인생이라도 기대하는 순간 망가지는 것도 인생이다. 인어공주 이야기처럼 무언가를 주고받는 관계가 아니라면 쓸데없는 기대는 하지 않는 게 좋다. 그게 편했다.

“그나저나 왜 이름으로 안 불러?”

“이름?”

“매번 당신, 그, 저. 이렇게 부르잖아. 매번 만날 때마다 백우현이라고 알려줬는데.”

딱히 이유가 있어서 그렇게 부른 건 아니었다. 그냥 이게 편해서 그렇게 불렀던 건데….

“우현아 라고 불러봐.”

막상 부르라고 시키니 입이 떨어지지 않았다. 오히려 더 불편해진 느낌이 들었다.

“편해지면 그렇게 부를게.”

“아! 한 번만, 한 번만.”

두 손을 비비며 부탁하는 그에 하는 수 없이 입을 열었다. 우현아 한마디에 스멀스멀 올라가는 입꼬리가 보였다.

환한 미소를 짓던 그와 나란히 벤치에 몸을 뉘어 하늘을 바라봤다. 어두워지는 하늘을 바라보며 별을 세었다. 눈에 담기는 별들을 보며 이에게 무얼 하고 지냈는지. 혹시 내가 생각나지 않았는지. 하찮은 물음을 하고 싶었다.

그에게 말을 걸 용기가 나지 않아서. 그가 먼저 이야길 꺼내길 기다렸다. 또랑또랑한 말소리가 없어지고 고요 속에 일정한

숨소리만이 들렸다. 허공에 시선을 맴돌았다. 괜히 우현이의 시선을 의식하게 되어 손을 뜯다가 눈을 맞추었다.

우현이의 시선은 내가 아닌 살이 뜯겨나가는 나의 손을 향해 있었다. 두 눈을 찌푸리곤 심기 불편해 보이는 모습에 혹여 이 상황이 후회라도 되는 건가 싶어 결국 먼저 입을 열었다.

"할말 있어?"

아무 답도 하지 않은 채 허전한 나의 손 위에 물이 된 슬러시를 올려주었다. 다 녹아 액체가 되어 고여버린 푸른소다맛 슬러시는 바다와 닮아있었다. 더 이상 손을 뜯지 못해 갑갑한 마음이 몰려왔다. 두 손에 잡힌 컵을 내려다보며 깊은 생각에 빠졌다. 깊은 생각에 빠진 탓인지. 자연스레 표정도 심각해졌나. 당혹한 표정을 지은 그가 내게 말을 걸어왔다.

"어떻게 지냈는지 궁금했어."

하늘을 바라보며 물었다. 메마른 입술을 축이고 입을 열었다.

"그냥 별거 없었어. 모든 날이. 구해준다는 네 말을 무시하고 선택한 길은 그냥, 지옥을 오가는 정도가 됐었어."

"어떤 아픔을 가지고 있는 건지 모르겠지만 아직 아픔이 짙은가 보네."

손에 들린 플라스틱 컵을 매만졌다.

"잠깐 빛나고 말거라 생각했던 너는 2개월이 지난 지금까지도 빛나고 있었어. 아까 도망치던 이유도 비슷해. 내가 버린 구원을 다시 주워 담기엔 늦은 것 같았어."

나의 말을 들은 우현이는 못마땅한 표정을 지었다.

무언가 만족스러워 보이지 않은 눈으로 나를 흘겼다.

"바다에선 왜 잘 지낸다고 한 거야?"

"들키기 싫어서."

그때 내가 조금 더 솔직했더라면 우린 달라졌을까.

"그런 날들을 보내고 있었다니. 속상하네."

"어쩔 수 없지. 놓친 건 나니까…."

혹여나 지금 당장 우현이가 떠나버릴까 조마조마했다.

"네 얘기를 들려줘."

"…"

"내가 너를 구원해 줄 수 있게. 왜 죽으려고 했던 건지. 내가 모르는 아픔이 뭔지 알려줘. 바다에서 마주쳤던 날 너를 찾아 헤매다가 겨우 만난 날이었어. 계절이 돌아오듯 우리가 만날 거란 확신으로 너를 찾았고. 2개월이 지난 지금에서야 이 얘기를 할 수 있게 됐네."

바다에서 마주쳤던 날, 나를 잡고 싶었다고 말하는 너의 말에 안도가 되었다. 그에게 나의 울부짖음이 닿은 것 같아서 다행이었다. 내 이야기를 들려주고 싶었다.

어쩌면 나는 다른 삶의 구원을 기다리고 있던 건지도 모른다. 네가 나의 구원이 되어준다면 나는 뭐든 할래. 내 이야기를 들려줄래. 내 얘기를 팔아서, 너의 구원을 살게.

✧

8년이 지난 지금까지도. 너무나도 사랑했던 내 동생이자, 제일 가까웠던 하루에 목메어 살고 있었다. 아무도 나에게 묻지 않는다. 그 봄날에 도대체 무슨 일이 있었던 건지. 지금은 상상도 못 할 아픔으로 내게 남았지만, 어린 날의 나는 그들이 진실이 무엇인지에 대해 물어봐 주기를 바라고 있었다.

진실을 알려주고 싶었던 마음이 무엇보다 제일 컸던 것 같다. 초라한 나를 서서히 등지는 그들에 어떠한 위로도 받지 못했다. 실상 위로가 필요하던 건 아니었다. 그저 사무치던 봄바람이 나타나길 바라며 눈으로 보이길 바랐다.

몇 안 남은 동네 사람들은 아직도 나를 살인자의 딸이라고 생각하고 있겠지. 사건은 그렇게 마무리되나 싶었지만 몇 달 뒤 딸이 자신의 아빠를 조종한 것이 아니냐는 의혹이 제기되었다. 고작 살아있다는 이유 하나만으로 모든 범행이 내가 저지른 게 아니냐는 말이 잇따랐다. 이미 끝난 일이었음에도 한 가정을 파멸시킨 딸이 아니냐는 말이 오갔다.

사랑하던 동생을 죽이고, 암 투병으로 아픔을 앓았던 엄마를 모두 죽인 살인자의 딸이었지만 그 모든 이유가 나였다고 기억하고 있겠지. 모두 죽은 가운데 혼자 살아있는 나를 보던 그들은 그 아비에 그 딸이라는 말을 했다. 분명 아프지 말라며 위로를 건네오던 사람들마저 내게 등을 돌렸다. 그게 아닌데, 정말 그런 게 아닌데.

사람들은 소문에 소문을 믿었다. 엄마가 아빠에 의해 죽은 게 아니라는 걸. 지속되던 누나의 폭행이 사실이 아니라는 걸.

소문의 대상이 아니라고 말한다 한들. 그건 그들의 관심사가 아니었다. 사실은 중요치 않고 이도 저도 아닌 소문에 귀를 기울였다. 이미 낙인이 찍혀버린 살인자의 말은 듣지도 믿지도 않았다. 들을 가치가 없다는 듯 지나치기 일쑤였다. 그들이 바라보던 시선과 행동이 얼마나 큰 고문인지 그들은 죽어서도 모를 것이다.

그깟 아픔에 대해 동네 어른들이 무얼 알겠나. 그렇다고 학교 친구들이 나의 아픔을 아느냐. 그것 또한 아니었다. 말 그대로 진실을 알고 싶어하는 사람은 단 한 명도 존재하지 않았다. 공룡이 우리의 세상에서 멸종돼 버린 것처럼 나의 세상엔 인간이 멸종되어 버렸다. 그도 마찬가지다.

나의 아픔을 건드리는 건 되려 그들인데 나는 모두의 눈초리에서 따가운 시선을 받던 시기가 있었다. 정작 가족을 살해한 아빠는 인터넷에 떠도는 글이 사그라들기 시작하고 딸이 그런 게 아니냐는 물증 하나로 뉴스 보도에 일주일 정도를 떠돌다, 그들의 시선에서 사라져 버렸다.

좁은 동네를 누비며 워낙 잘 지내던 그였기에. 다정한 아빠라는 타이틀로 불렸으니, 다른 사람들 눈엔 한 가정이 나로 인해 다 무너졌다고 확신하는 듯했다. 딸을 사랑하던 가장이 딸 대신 범행을 저지른 것이라고 그러다 딸내미가 무서워 자식을 버린 것이니 이해가 된다고들 얘기했다. 정신을 못 차린 자는 직접 죽어봐야 정신을 차린다며 주위에서 수군덕거렸다.

정말 내가 한 게 아닌데. 아무도 나를 생각하지 않았다. 이런 날들을 바란 게 아닌데. 10살에게 세상은 녹록지 않았다.

"아동학대 사건이라면…."

우현이는 놀란 눈으로 나를 응시했다.

"당시에 어선 침몰 사건도 있었는데, 사람들은 내 이야기가 조금 욕하기에 쓸모가 있었나 봐."

내일이 오면 아무 생각말고 바다를 가야겠다는 생각이 들었다. 숨을 쉬어야 내일의 내가 존재할 것 같았다.

"어선 침몰 사건 나도 알아."

어선 침몰 사건을 안다는 건 그가 처음이었다. 뉴스에 미친 자가 아니라면 또 피해자가 아니라면 아는 이가 정말 드물었다.

"엄청 잘 알아…."

아, 누군가 머리를 내려친 기분이었다. 붉게 물든 눈시울이, 쉴 새 없이 흔들리는 두 눈동자가 어렸다.

"너 피해자구나."

우리에게 3월 18일은 사랑할 수 없는 날인가 보다. 눈물을 머금은 우리는 서로를 안아주었다.

"어선 침몰 사건 피해자인데도 바다를 볼 수 있는 게 신기해."

마냥 밝기만 했던 그가 어선 침몰 사건의 피해자였다.

"사건 아는 친구들도 피해자다 그러면 그런 말 많이 해. 처음엔 어려웠는데 지금은 괜찮아."

"극복한 건가 봐."

뒷머리를 긁적이는 그였다. 잠시 고민하는가 싶더니 벤치에서 일어나 자연스레 내게 손을 내밀었다.

"극복이라기보단…. 그냥 죄책감이 커서 의무감으로 보게 됐어. 애초에 처음부터 바다에 대한 원망은 없었고. 아빠가 좋아하는 직업이었으니까. 바다가 아빠랑 함께한 세월만 해도 34년일걸. 나보다 함께한 날이 더 오래됐어."

그는 내게 따스한 온기를 나눠주었다. 맞잡은 손을 끌어 자리에서 일어났다. 가엽게 울던 그는 나의 구원이 되어주기로 약속했다. 고여있는 눈물을 끝까지 흘리진 않았다. 꿋꿋하게 참아내는 모습이 아팠다.

우리는 서로에 대한 제대로 된 통성명도 하지 않았다. 제대로 된 이름은 '백우현' 나만이 그의 이름을 알았고, 명찰 색으로 서로의 나이를 알 수 있었다.

나는 그를 구원이라 불렀고 그는 나를 바다라 칭했다. 궁금해하지 않기로 약속을 한 건 아니었지만 서로를 위한 배려였을 것이다. 언제부턴가 함께하게 된 우리의 인연은 언제부터 시작했던 건지 모르던 인연처럼 언제 끝이 날지 몰랐다. 비록 서로에 대해 아는 것이 없지만 구원을 품은 바다라면 삶을 사랑할 수 있지 않을까.

✧

공황은 과호흡이 온다고 해야 하나. 숨이 안 쉬어졌다. 살기 위해 호흡을 해도 호흡은 할수록 아팠다. 벽이나 땅이 움직이는 것처럼 울렁거리고 짧으면 5분 길면 10분 그렇게 고통을 받으면 공간에서 탈출하고 싶어졌다.

공황은 어느날 갑자기 나에게 찾아왔다. 하루를 떠나보낸 뒤 잠에 들기 위해 자리에 누웠다. 무거운 짐을 짊어진 것 같던 몸에는 점차 힘이 풀려갔다. 나른함에 몽롱해지던 때에 갑자기 머리서부터 식은땀이 나기 시작했다. 호흡이 점점 가빠졌다. 순식간에 공황이 나를 집어삼켰다. 먹먹해지는 공기와 턱턱 막혀오는 숨에 정말 죽을 것 같았다.

그게 지옥의 시작이었다. 혼자 남은 병실에서 아무 소리도 내지 못한 채 온몸을 비틀어가며 목을 긁어댔던. 악몽의 시작이 말이다. 아무것도 모르던 10살의 나는 죽을 것 같던 공황이 그날 이후로 반복됐다. 감기에 걸린 것처럼 시도 때도 없이 찾아왔다. 심하면 하루에 4번. 적어도 2번. 지옥 같았다. 갑자기 나타난 증상이 왜 생긴 건지 알 수 없었다. 분명 잠을 자려 했을 뿐인데. 아픔이 나를 덮쳐온다는 게 무서웠다.

“하람 환자분 상태 확인할게요.”

간호사가 다녀간 뒤 그날도 병실 안에서 숨도 제대로 가누지 못하고 있었다. 문득문득 죽음이 나를 찾아왔다. 이러다가 정말 죽겠구나 생각했다. 잠자리가 변해서 그런 건가 싶어 몰래 병실을 나왔다.

병동 밖으로 나와 화단에 피어난 꽃을 바라보았다. 바다에 가고 싶었지만, 밖으로 나갈 수 없었다. 꽃을 바라보며 마음에 안정을 느꼈다. 오랜만에 만난 세상은 여전히 차갑고, 밝은 빛이 반짝이고 있었다. 노을진 해를 바라보다가 홀린 듯 병원 입구를 향해 걸었다. 부웅 거리는 차 소리와 치근덕대는 사람들의 웃음소리, 또한 새들의 지저귐이 들려왔다.

잠시 떠나가기 위해서 사람이 많은 곳을 지나쳐야 했다. 아무렇지도 않았는데, 병실에서 느꼈던 죽음이 막상 그들을 마주하니 더 극심한 통증이 일어났다. 세상은 이렇게나 밝은데 내게 비추는 빛들은 왜 달아나 버린 건지.

점차 식은땀이 나고 주저앉고 싶었다. 목이 타들어 가는 느낌과 두통이 몰려왔다. 갑작스러운 아픔에 몸조차 제대로 가누지 못했다. 비틀거리는 걸음걸이로 입구까지 오긴 했지만 마치 벽이라도 있는 것처럼 밖에 발을 내딛지 못했다.

숨 쉬는 법까지 기억이 나질 않아서 입만 뻐끔거리며 거친 입모양만 보일 뿐이었다. 과호흡으로 공황발작까지 일어났고, 어지러움과 함께 쓰러졌다. 처음 공황발작까지 일으켰던 날을 아직도 잊지 못한다. 전생에 무슨 죄를 저질렀나 생각했다.

"나 좀 봐봐."

우현이가 나의 눈을 맞춰왔다. 빨갛게 물든 눈으로 이야기를 이어갔다. 흐르는 눈물을 닦아냈다. 이도 저도 아닌 표정으로 나를 바라보는 그를 응시하고 있었다. 흐르는 눈물을 바라보던 그가 물음을 건네왔다.

"네 눈물 닦아줘도 될까."

그의 말에 천천히 고개를 끄덕이니, 다정한 손끝으로 내 눈물을 닦아냈다. 눈가를 쓸어내리며 기어이 눈물까지 훔쳤다.

“네가 왜 울어. 울지마.”

“내가 미안해. 내가 꼭 지켜줄게.”

곧바로 그의 품에 안겼다. 안긴 그의 품이 따뜻했다. 축축해지는 어깨 너머로 내가 아닌 다른 이의 울음이 자리를 머물렀다. 이는 어떤 상처를 받았길래 이렇게 서럽게 우는 것인지.

익숙하지 않은 손으로 그를 끌어안았다.

정말 신이 있다면 나를 행복하게. 아니. 이기적인 내가 빌 테니. 우리를 행복하게 만들어줬으면 좋겠다.

눈물만 가득했던 밤이 저물어 간다. 다른 이와 함께 걷는 이 길이 내게 영원하기를 누구보다 간절하게 소망한다.

“뭐 좋아해?”

“예를 들면 어떤 거?”

“일단 바다 좋아하고 좋아하는 말이나 이런 거?”

좋아하는 말, 정말 죽도록 좋아하는 말.

“바다보러 가자.”

“갑자기?”

정말 당황한 듯한 그의 표정에 웃음을 터트렸다. 커진 동공이 꽤 웃겼다.

“좋아하는 말, 바다보러 가자 좋아해.”

“전생에 바다 못 보고 죽은 귀신이 붙었나. 바다를 진짜 좋아하네,”

바보 같은 함박웃음을 지었다.

✧

“우리 만났었잖아. 1년 전에, 죽으려던 이유는 뭐야?”

손에 들린 휴지를 돌돌 말며 손장난을 치는 그였다. 1년 전이라면 모든 걸 포기하고 죽기 위해 바다에 뛰어든 날을 말하는 건가.

“그냥 다 포기하고 싶어서. 공황도 아픔도 미움도 설움도 다 잊어버리고 싶어서.”

딱히 큰 걸 바라는 건 아니었다. 그냥 단지 정말 지독하게 살고 싶어서. 나의 말에 어떤 말을 덧붙이지 않았다.

“그때 타 줬던 차, 기억나? 벌써 슬러시 먹는 계절이라는 게 신기한 것 같아.”

“기억하지. 히비스커스.”

그의 말마따나 벌써 여름이라는 게 신기할 따름이었다. 몇 년이 흐르면 당연히 사라질 거라 여긴 희망도 어느새 온전히 나의 것이 되었다는 게 신기했다. 문득 그리움으로 계속 생각날 것 같다.

“다행이네.”

바다에 시선을 옮겼다. 흔들리는 파도 소리가 들렸다. 모든 이들의 괴로움이 담긴 바다, 아름다움이 머무는 자리. 푸른 바다. 시체 썩은 내가 나지 않고 시원한 바다냄새만이 풍겨온다. 나의 행복을 부르는 냄새가 많은 이들이 썩어가는 냄새일지라도 코끝을 스치는 냄새는 향긋하다.

"바다는 왜 그렇게 좋아해."

"바다?"

"작년에도 바다에서 저번에도 바다에서. 바다를 엄청나게 좋아하는 것 같아서."

그의 물음에 세월을 돌아봤다.

"그냥 좋아해."

전생에 인어라도 됐으려나, 드넓은 바다를 너무나도 사랑했다. 바다는 날 사랑한 적도 없는데 이토록 사랑하게 된 이유는 나까지도 단순한 궁금증을 앓게 만들었다.

바다를 향한 나의 애착은 아무도 말릴 수 없었다.

"예전에 병동에 입원하게 된 적이 있었는데. 공황이랑 우울증이 심한 것도 있었지만, 결핍이 있었어. 그런데 그 결핍을 바다한테 느꼈던 거야. 신짜 웃기지. 전보다는 괜찮아졌지만, 아직 전부 놓아버리기엔 정 때문인지 놓기 힘들더라고. 버릇처럼 찾게 되더라."

우현이 나를 바라보며 슬며시 웃었다.

"낭만적이네."

멋쩍어 그를 따라 웃었다. 애착과 애증의 관계에 놓인 바다는 푸른 빛을 잘 흡수시켜 우리에게 에메랄드빛 바다를 잘 보여주고 있었다. 바다는 아직 온전한 모습으로 잘 있었다.

"특히나 윤슬이 이쁘잖아. 나는 윤슬이 좋아."

"음…. 그럼 윤슬에 대한 미신이 하나 있는데 알아?"

"바다에도 미신이 있어?"

"재밌는데 알려줄까?"

그의 말에 세차게 고개를 끄덕였다. 꽤 흥미 돋는 이야기였다. 유래나 미신 같은 건 뚫고 있는 나한테 바다 미신은 처음이었기 때문에 홀린 듯이 고개를 끄덕였다.

"어렸을 때 아빠가 알려준 미신인데 바다에 뜨는 윤슬 말이야. 파도가 사랑을 말하는 순간에 뜨는 거래. 낭만적이지. 파도가 사랑을 말하는 표현법이 이 세상 모든 사람이 볼 수 있는 반짝임이라는 게."

파도가 엄청난 사랑에 빠졌나 보다.

비를 맞지 못하는 바다도 눈물을 흘릴 수 없는 바다도 그저 쓸려오는 물들이 세월 같았고, 흘러온 조개들이 버림을 받은 보석 같았다.

"그러게. 진짜 낭만적이네.

모든 걸 끌어안은 파도는 나에게 추파를 던지며 천천히 일렁였다. 파도만이 낼 수 있는 노랫소리를 들었다. 나는 바다를 사랑할 수밖에 없는 세상에 놓여 있었다.

바다에 대한 나의 애정은 죽어서도 영원할 것임을.

어여쁜 바다야. 잔물결을 계속 일게 해줘. 여파에 머문 소리를 들으며 잠에 들 테니.

✧

비가 내렸다. 서서히 떨어지는 빗방울에 편의점을 향해 뛰었다. 거세지는 빗물에 옷과 신발은 빠르게 젖어갔다. 축축해진 몸으로 거리를 거닐었다. 음산한 풍경이 보였다.

"잠시만 여기 있어."

우현이는 우산을 사 오겠다며 편의점으로 들어갔다. 우중충한 하늘을 올려다보며 아까와는 차원이 다른 날씨를 눈에 담았다. 하늘이 번쩍이고 천둥소리가 들려왔다.

"이거 받아!"

편의점에서 나온 우현이는 우산이 아닌 우비를 쥐여주었다.

"우산은?"

"우비 입어."

"쓸데없이 왜 우비를 샀어. 우산이 더 편한데."

"해보면 알아."

손에 들린 우비를 뺏어 들어 비닐을 벗겨냈다. 우현이는 움츠러든 나의 어깨를 펴곤 우비를 입혀주었다. 마음에 안 드는 티를 내며 우비를 입었다.

"됐다."

갑작스레 손목을 잡는 우현이에 놀랐다. 손을 잡곤 길을 뛰었다. 우비 하나에 맞는 빗물이 적어졌다. 톡톡 머리를 쳐오는 느낌은 별로였지만, 전보다 안정적인 느낌이 들어 괜찮았다.

무턱대고 뛰어든 비속은 별거 없었다. 물기 가득한 웅덩이를 뛰어넘고 미친 듯이 자유를 누볐다. 곧 무너질 것 같은 하늘을 보고서 미소를 지었다. 신이 났다. 즐거웠다.

우현이도 신이 나 보였다. 입을 벌리곤 비를 맛봤다. 눈이나 먹는 건 줄 알았는데. 비를 맛보는 사람도 있구나. 그게 너라서 참 웃겼다. 너와 함께하길 잘한 것 같다는 생각이 들었다.

"쓸데없는 짓을 굳이 하는 이유가 이거야. 우산을 썼으면 못 느껴봤을 황홀 아닌가."

손에 들린 나뭇잎을 쥐여주었다.

"정말 쓸모없는데 네가 보여준 세상은 왜 이렇게 즐겁지."

어쩌면 세상을 차갑게 바라본 건 나일지도 모른다.

"우리 처음 만났을 때 네가 그랬잖아. 세상에 보이는 게 전부가 아니라고. 그 말이 좋아서. 다방면으로 봤을 뿐이야."

"그런 말 한마디를 기억해? 1년 전 일인데."

"내가 줬던 차가 히비스커스 차였던걸 기억하는 너처럼."

웃음이 나왔다. 비를 맞은 것에 대한 낭만이란 이름을 붙이고 사랑을 속삭인 것에 대한 색을 칠했다. 품위 없는 낭만은 그 나름대로 모습을 유지했다. 우현이와 발맞춰 거리를 거닐었고, 우산 없이도 비를 맞는 방법을 알게 되었다.

장마가 오려나 보다.

무더운 장맛비가 밤새도록 쏟아졌다. 무너질 것 같은 집 안에서 그와 잠자리를 만들었다. 허름한 집안에 둘만이 존재했다. 우현이는 손에 들린 수건을 건조대에 걸어놓고 자리에 누웠다.

"오늘 안 자면 안 돼?"

"그건 또 무슨 소리래."

"그냥 밤새워 얘기하자고. 더 알아가게."

우현이가 흘러내리는 머리칼을 귀 뒤로 넘겨주었다. 귀를 스친 그의 손이 간지러웠다.

"그럼, 낮에 알려줬던 파도 얘기처럼, 나도 뭐 하나 알려줄까?"

"뭔데?"

"오른손을 베게 밑에 넣고 왼손은 심장에 올린 뒤 보고 싶은 사람 이름을 소리내서 세 번 말하면 잠에 들었을 때 꿈에 나온대."

"인터넷에서 한번 본 적 있는 것 같은데. 그런데 그거 그거라던데. 귀신? 부르는 거라고. 굳이 귀신까지 부르는 건 좀…."

"귀신인 걸 알면서도 해보는 이유는 그 정도로 그 사람을 보고 싶어서가 아닐까."

"한 번 해본 적 있어? 말투가 해본 적이 있는 말투인데?"

장난기 가득한 말투로 옆구리를 찔러왔다. 아니라며 고개를 저었지만, 그의 말이 틀린 게 아니었다. 혹해서 해본 실험은 정말 성공했다. 하루를 떠올렸던 날 정말 꿈에 하루가 나왔다. 함께 학교를 가서 돌아오지 못하는 꿈을 꾸었다.

깨어났을 때 꿈이란걸 알고 왜 그런 짓을 했을까 후회했지만, 그 일이 있고서도 중독된 듯 정말 무언가에 홀린 듯 하루를 꾸곤 했다. 오른손은 항상 베게 밑에서 왼손은 항상 심장 언저리에서. 하루를 꿈꿨지만 돌아오지 않았다. 정말 꿈일 뿐이었다.

"그러면 혹시 잠에 들기 무서운 이유도 하루 때문이야?"

잠시 망설였지만, 곧바로 물음에 답했다. 아픔을 딛고 일어나려 선택한 방법이었다.

“하루의 괴성이 들려. 잠에 들려 하면 하루의 목소리가 선명히 들려와서 잠에 들 수가 없어. 그래서 항상 약을 먹곤 잠에 들기를 반복해.”

“위험한 걸 알면서도 꾸역꾸역 먹었네.”

“살 방법이 그것뿐이었으니까.”

다리 언저리에 걸쳐있던 이불을 끌어당겼다. 먼지를 머금곤 눈을 감았다. 하루의 목소리가 들려온다.

“오늘밤은 약 없이 잠에 들어봐.”

“약 없이? 그거까지 아직은….”

내 손에 들린 약을 우현이 집어삼키며 웃었다.

“그걸 먹으면 어떡해!”

“내가 너의 약이 되어줄게.”

목울대가 울렁이고 나의 손을 잡아 왔다. 몸을 뉘어 서로를 바라보았다. 덜 말려 축축한 머리칼이 베개를 적셨다. 투둑투둑 하며 빗소리가 들려왔다. 고요한 집안에 따뜻한 그의 온기가 퍼졌다. 맞잡아오는 손이 떨리고 온전히 우리의 밤이 되었다.

“봄하람, 봄하람, 봄하람.”

그가 처음 부른 나의 이름이었다. 천장을 바라보던 우현이는 고개를 돌려 나의 눈에 자신을 손을 올렸다. 고요히 두 눈을 덮었다.

하루의 괴성이 들려오고 뚜렷한 목소리가 점차 커졌다.

갈기갈기 찢긴 성대에서 부르짖음이 거세졌다. 감정이 고조되고 흐느끼기 시작했다. 마주잡은 손을 매달리듯 붙잡았다. 온몸에 힘이 들어가고 다문 입술을 가만히 두지 않았다. 오늘밤은 길지 않기를. 복용 된 약이 부작용은 없기를.

아이스크림이 달았다.

“나쁘지 않지?”

“응. 생각보다 시원하고 괜찮네.”

선선한 바람이 불어왔다. 우현이의 교복 위로 메론맛 아이스크림이 흘렀다.

“교복 안 불편해?”

“응. 오히려 단정해 보여서 불편하더라도 입어.”

“다른 애들은 전부 사복 차림이던데?”

“걔네랑 나는 다르잖아.”

우현이의 말에 고개를 끄덕이며 운동장으로 고개를 돌렸다. 흔들그네 위에서 뛰어노는 아이들을 구경했다. 우현이의 말대로 학교는 나쁘지 않았다. 따듯한 해가 들어오면 뛰어놀던 아이들은 땀범벅이 되고 물을 들이마신다. 드넓은 잔디밭 위에서 공을 발로 차며 그 안에서의 최고가 되려 노력한다. 모습이 우스꽝스럽다가도 골을 넣는 모습이 나에게까지 홀가분한 기분을 주었다.

"자퇴는 왜 한 거야?"

"자퇴?"

"응. 궁금해. 교복 입은 모습 더 보고 싶었는데 아쉽기도 하고."

딱히 큰 이유는 없는 게 문제였다.

"음…."

입학 날 당시 지원받았던 교복은 열심히 빨아 다림질했다. 켜지지 않는 다리미에 애를 먹었지만 끝내 다림질을 할 수 있었다. 단정한 복장으로 학교에 들어선 입학식 날.

날 쳐다보던 그들의 눈빛은 잊지 못한 상처를 일깨우고 아물어가는 상처를 덧냈다. 어떤 이는 따가운 시선으로, 또 다른 누군가는 안타까운 시선으로 그들의 시선 속에 동정의 눈빛 없이는 봄하람이란 사람을 맞이하기 어려워 보였다.

학교를 다녀오고 쓰러지듯 침대에 누워 끝이 보이지 않는 괴성을 들으며 깊은 잠에 빠져들었다. 당시엔 공황과 우울증이 심해져 학교를 쉬기 전 결국 자퇴를 선택했다. 선생님의 반대가 심했지만 끝내 자퇴를 했다. 보호자 동의서, 보호자 동반 그런 건 필요가 없었다. 뉴스에 떠돌던 아이가 나란 걸 알기에.

벚꽃이 흩날리던 입학식 날 모든 걸 포기하고 시든 꽃을 손에 들어 올린 날. 모든 걸 다 주고 더 줄 게 있어 망설였던 날. 다 잃게 되더라도 학교를 빠져나와야겠다 마음먹었던 날. 자퇴를 하게 되었다. 따분한 학교를 탈출하고 다시 불구덩이에 뛰어든 날은 아픔이 짙어 밤새 눈물을 흘렸다.

"그냥, 공황 때문에. 별 다른 이유는 없었어."

"그래? 엄청 거창한 일인 줄 알았어."

"나한테 공황이 거창한 일이면 어쩌려고 그런 말을 해."

"특별함 없이 같은 시선으로 보고 싶어서 한 말이니까, 이번만 참아줘."

마지막 남은 아이스크림까지 쪽쪽 빨아 먹었다.

"우리 하나둘 셋 하면 막대 보여주는 거다."

"어? 그게 무슨 말."

"하나둘, 셋!"

당황한 얼굴로 아이스크림 막대를 내밀었다. 선명하게 찍힌 주먹과 가위. 그림을 보며 해맑게 웃는 우현이였다.

"내가 이겼네."

"이게 뭐야…."

"아이스크림에 있는 줄 몰랐어?"

"알았겠냐."

게슴츠레 뜬 눈으로 우현이를 바라봤다. 밝은 햇살이 눈에 비춰오고 우현이는 해맑게 웃었다. 손에 들린 막대를 보고, 나의 표정을 보고. 한동안 이겼다고 자랑하고 다니겠지.

몇백 년은 놀려먹을 기세였다. 이런 시시한 놀음에 놀아나다니. 괜히 승부욕도 타오르는 것 같았다.

“그래도 재밌지.”

“재미없거든.”

“여기 재밌었다고 쓰여있는데?”

우현이 입가에 묻은 아이스크림 자국을 지웠다.

“더럽게 뭐해!”

“더러울 게 있나. 어차피 먹을 건데.”

“그래도!”

“괜찮으니까. 진정해, 진정.”

손에 들린 막대를 가져가 버리고 오겠다고 말하며 자리에서 일어났다. 우현이가 일어나고 그네는 얕게 흔들렸다.

“어디 가지 말고 여기 있어!”

저 멀리 들리는 목소리에 웃음이 터졌다. 오후가 이렇게나 따스했었나. 바람을 맞았다. 발이 떼졌다, 다시 붙기를 반복했다. 흔들거리는 그네 위에서 움직임을 뒤따랐다. 아무 일도 없을 것 같은 느낌을 받았다.

만약 자퇴를 하지 않고서 아픔에 부딪혔다면 나도 저들과 같은 자리에서 함께할 수 있었을까. 친구들과 함께 뛰어놀고 뛰어노는 아이들 사이에서 산책하고 맛있는 곳을 안다며 밥을 먹으러 가는 선생님들과 급식을 먹을 생각에 신이나 뛰어가는 아이들 속에 나도 함께 이야기를 나누며, 흐름을 따르며, 순간을 즐기며 살아갈 수 있었을까.

“저기요.”

누군가 내 어깨를 찔러왔다.

뒤를 돌아보니 익숙하지 않은 남자가 서있었다. 외부인이라서 그러는 건가 싶어 모자를 눌러썼다.

“네?”

그는 의문 가득한 표정으로 나를 쳐다봤다. 놀란 마음에 옷을 있는 힘껏 끌어당겼다.

“어!”

나의 머리에 코를 맞고 쓰러진 남자를 쳐다보았다. 당황해 어쩔 줄 모르는 마음으로 허둥대고 있으니, 코를 쥐여잡던 그는 뭐냐며 소리쳤다.

“아, 아니 그게 아니고….”

머리가 새하얘졌다. 아, 우현이. 백우현 언제 오지?

“실수면 사과라도 하시던가…. 이게 뭐야.”

인상을 찌푸리며 땅을 짚고 일어나는 남자를 바라보았다.

“죄, 죄송해요.”

“됐어요. 봄하람씨 맞죠?”

“네? 아니. 그. 저.”

“백우현 친구예요. 전에도 한번 본 적 있는데 기억 안 나요?”

얼굴을 들이밀었다. 빨개진 코가 보였다.

“아니, 코만 보지 말고. 저번에 슬러시 가게에서.”

우현이와 슬러시를 사 먹고 있던 남자였다. 놀란 마음에 그게 그쪽이었냐며 얼굴을 마주 보았다.

그를 향한 손가락을 접어왔다.

"삿대질은 좀 그렇고. 이제 좀 진정돼요? 그렇게 놀랄 일은 아니잖아. 너무한 거 아니에요? 나 코가 생명인데."

"사람을 좀 무서워해서…. 코친 건 미안해요."

"미친 건 아니라 다행이네요. 그나저나 학교는 왜 온 거예요?"

"백우현이 보여줄 거 있다고 데리고 와서요."

"어쩐지 몇 시간 내내 여기 앉아있더라."

"봤어요?"

"저기 우리 반이에요. 창문으로 보면 바로 보이는데."

꽤 높은 건물에 눈 주위로 빛이 들어왔다. 환하게 열려있는 창문이 보였다. 괜히 뻘쭘해져 잡소리만 낼 뿐이었다.

"차준혁이에요. 기뻐할 준에 빛날 혁. 기쁜 순간 가장 빛난다. 그쪽은요?"

"봄하람이에요. 뜻은 몰라요."

"보통 그렇더라고요. 뭐 크게 상관은 없어요. 백우현이랑 8년 지기 친구고요."

"8년? 오래됐네요."

"제가 원래 친화력이 좋아서. 사람이 꽤 무해하거든요."

올라간 어깨가 거슬렸다. 언제 봤다고 이렇게나 친한 척인지. 백우현은 왜 이런 친구를 뒀는지 의문이었다.

"아, 본 것도 인연인데. 다음 주에 보러와요."

주머니에서 구겨진 종이를 꺼내 들었다.

"다음 주에 우리 학교 전시회 있거든요. 그 저기 사거리 알죠?

대관 빌린대요. 시간이 되면 우현이랑 보러와요. 아, 아니다. 무조건 시간 내서 보러와요. 약속."

"딱히 가고 싶은 마음은 안드는데…. 우현이도 별로 안 좋아할 것 같고요. 부모님이나 친구들 줘요."

"다른 친구들은 이미 있죠. 부모님은 돌아가신 지 오래라, 줄 사람이 없어서 그래요."

가정사를 저렇게 아무렇지도 않게 말한다니 신기했다. 정말 아무렇지도 않은 표정으로 표를 건네왔다.

"부탁할게요. 어차피 백우현이라면 바로 좋다고 할걸요? 내 작품이 걸리는데."

"정말 으쓱이는 어깨 재수 없네요."

"그게 내 매력인데. 단번에 알아보셨네."

말이 안 통하는 것 같았다. 저렇게나 긍정적이면 살기 좀 지루하지 않나…. 그를 보며 한숨을 내뱉었다.

"곧 종 쳐서 들어가 볼게요. 백우현 쓰레기 버리러 갔다가 쌤이 불러서 교무실 갔어요. 곧 올 거예요."

손을 흔들거리는 그를 향해 고개를 끄덕였다. 끝까지 해맑았다. 무덤덤해 보이면서도 막상 대화를 나누니 본성은 착한 것 같았다. 손에 들린 표 두 장을 보며 우현이를 떠올렸다. 날짜를 확인하고 요일을 확인했다. 다음 주 토요일. 슬쩍 고개를 끄덕였다.

✧

"저번 주엔 이 정도는 아니었던 것 같은데. 벌써 날이 선선하네. 봄하람, 그만 자고 얼른 일어나."

누군가의 손에 의해 흔들리는 몸을 깨닫고 나서야 꿈에서 깨어났다. 집에 언제 도착한 건지 우현이가 나를 깨우고 있었다. 정장을 빼입은 채 분주하게 준비 중인 우현이가 보였다. 무얼 하나 싶어 바쁘게 움직이는 그를 불러세웠다.

"너 뭐해?"

말 한마디에 마치 허수아비처럼 움직임을 멈추었다.

"아침부터 뭐해."

대답을 하지 않아 한 번 더 물으니, 뒷머리를 긁적이며 말을 이어왔다.

"전시회 가야지."

전시회라는 말과 함께 나의 머리를 정리해 주었다. 그의 손길을 받아내며 눈을 감았다. 정돈된 머리가 깔끔했다.

"얼른 가자."

"알았어."

빠르게 자리에서 일어났다. 급하게 화장실로 달려 들어가니 뒤에서 웃음소리가 들렸다. 보나마나 달려가는 내 뒷모습이 웃겨서 웃는 거겠지. 옷을 훌러덩 벗어 던지고 빠르게 씻어내렸다. 쫓기듯 씻고 나왔을 땐 우현이는 준비가 끝난 후였다.

"머리만 말려야 되겠다."

"괜찮아. 이쁘게 하고 가자. 대관 4시에 닫힌다고 했어."

그의 말에 괜히 시시덕거렸다. 나를 보던 우현이는 드라이기를 들고 왔다. 자신의 앞에 앉으라는 말에 왜냐며 물으니, 자신이 말려주겠다며 앉으라고 손짓했다. 그의 말에 거부반응을 일으키며 거절했지만, 끝내 자리에 앉게 되었다.

"손님 이쁘게 말려드리겠습니다."

장난스러운 말투로 나의 머리칼을 정리했다. 부드럽고도 따뜻한 바람이 쐬어왔다. 눈을 감곤 온기를 느꼈다. 머리카락 한결, 한 결을 꼼꼼히 말렸다. 부드러운 손길에 졸음이 몰려왔다. 고개를 꾸벅거리니 못 말린다는 듯 웃는 그였다.

"많이 졸려?"

"조금. 엄청나게 졸리진 않은데. 바람이 너무 따뜻해서."

"다 됐으니까. 얼른 일어나."

마지막으론 정갈되어 있던 머리를 헝클였다. 뭐 하는 거냐며 울상을 지으니, 장난이라며 다시 머리를 정돈해 주었다. 이럴 거면 왜 흩트린 거야. 한숨을 내쉬며 머리칼을 빗었다.

나를 바라보던 우현이는 전시회 전에 갈 곳이 있다는 말을 해왔다. 어디를 가냐 물으니, 비밀이라며 말을 해주지 않았다. 급하게 옷까지 챙겨입고 나갈 채비를 끝마쳤다.

"가자."

나의 손을 잡아 오는 모양새가 어느새 익숙해 보였다. 현관문을 열고 집을 나섰다. 함께 갈 곳이 어디인지 갈피를 잡을 수 없어 두려움이 염려했지만, 괜찮았다. 우현이가 이끄는 길 그대로 함께 걸으면 왠지 모르게 아프지 않았다.

도착지는 그리 멀지 않았다. 집 앞 건널목을 건너 닫혀있는 미용실을 지나, 조그마한 다방을 지나 조금만 더 걸으면 있었다. 도착했을 땐 왜 여기에 온 건가 싶었는데.

"이 옷 잘 어울릴 것 같아."

내 옷을 사주기 위함이었다는 것을 알 수 있었다.

도착한 곳은 백화점이었는데. 우현이는 자기 옷을 사기 위해 온 것이 아닌 나의 옷을 사주기 위해 온 것이었다. 처음엔 부담스러운 마음에 거절했다. 절대 괜찮다며 계속 사양하니, 점점 안 좋아지는 표정에 하는 수 없이 고맙다는 말을 전했다. 이런 저런 옷들을 보면서 계속 잘 어울릴 것 같다고 말하는 우현이에 부끄러워 고개를 들 수가 없었다. 푹 숙인 고개 사이로 옷 두 벌이 보였다.

"옷 입고 나오면 안 돼?"

우현이 내민 옷은 검은 색깔의 슬랙스 계열을 옷 두 벌이 들려 있었다. 옷을 보며 탄식을 내뱉으니 나를 째려보는 우현이였다. 알겠다며 바지를 낚아채니, 어디서 들고 오는지도 모르는 얇은 스웨터까지 내게 쥐여주었다.

"이쁘게 갈아입고 나와. 나 밑에 좀 내려갔다가 올게. 탈의실은 저기 있더라."

우현이의 말에 고개를 끄덕이니, 한번 웃어 보이곤 헐레벌떡 자리를 옮기는 그였다. 혹여 나를 버리고 달아나 버린 건 아닐까 하는 생각도 들었지만, 그를 믿고 기다려보기로 했다. 아픔은 견뎌봐야 다음을 기약할 수 있었다. 울상을 짓곤 탈의실에 들어섰다. 엉기적거리며 옷을 갈아입었다.

"좀 큰가…."

작은 건지 큰 건지 몸에 맞지 않는 옷에 불만 가득한 표정으로 밖을 나가니 우현이 빠른 걸음으로 내게 걸어왔다. 숨을 헐떡이며 왼손엔 하얀색의 꽃이 들려 있었다.

"뭐야?"

"필요해서. 옷 잘 어울리네."

급하게 꽃을 뒤로 감추며 만족스러운 웃음을 지어 보였다.

"웃지 마."

"이쁘다."

동서 문답. 우현이의 말에 어이가 없어 헛웃음을 내뱉었다.

"우리 그런 말도 주고받을 정도야?"

우현이는 대답 없이 나의 손을 이끌어 계산대로 향했다.

"종이가방 하나 주시고 저 검은색 코트까지 같이 주세요."

익숙해 보이는 우현이의 말에 감탄했다. 보기 좋게 웃어 보이는 표정이 억지 미소 같아 웃겼다. 친절하게 응대해 주던 직원 덕분에 빠르게 백화점을 빠져나올 수 있었다.

"나중에 한 번 더 오자. 그때는 훨씬 많이 사줄게."

"괜찮다니까. 너 돈이 어딨다고 그렇게 펑펑 써."

"나 돈 많아. 그리고 이럴 때 쓰지. 어디에 쓸까."

"그래도 난 잘 돌아다니지도 않고."

"상관없어."

어깨를 으쓱이며 말하는 우현이였다. 그의 허세에 한숨이 절로 나왔다. 그마저도 웃긴 지 헤실거리며 웃었다.

"오늘도 그렇고."

코를 훌쩍이며 자신이 쓰고 있던 목도리를 풀어 헤쳤다.

"추운데 하고 있어."

"아직 초가을이거든. 너무 주책이야."

다급하게 주려는 목도리를 거절했다. 싫다고 어리광을 부리며 나의 목에 목도리를 감싸주었다. 능숙한 손놀림으로 목도리를 묶어주며 말을 이었다.

"날이 춥다."

네 글자만 뱉으며, 바보처럼 웃었다. 그의 행동이 든든하게 느껴졌다. 따뜻한 온기에 감미로운 맛을 느끼고, 우현이의 온기에 달콤한 향을 느끼며, 전시회장으로 걸음을 옮겼다.

전시회에 도착했을 땐 사람이 정말 많지 않았다. 학생 몇몇과 그들의 부모님으로 추정되는 사람들만이 존재했다.

"사람이 정말 별로 없네."

"아침이라서 그런 걸 수도 있고, 준혁이가 알려줬던 것처럼 학교에서 대관 빌려서 연 거라서 아는 사람이 별로 없는 것도 있고."

"그러면 전부 너희 학교 학생들이 그린 거야?"

"그건 아니고, 다른 학교 작품도 한두 개 걸려있어. 예대 준비

중인 애들 위주로 전시해 둔 거야. 중간중간에 선생님 작품도 있다고 그랬어."

우현이의 말을 듣곤 고개를 끄덕였다. 아름다운 작품들이 고스란히 걸려있었다. 작품들을 감상하며 작품의 이름과 명을 보았다. 예술은 정말 미친 자들의 것인 것 같다. 독특한 이름과 작품에 걸맞은 작품명들이 적혀있었다. 이런 생각을 어떻게 해내는지 그들이 대단하게 느껴졌다.

아픔에 갇힌 눈사람, 작은 거미, 어둠이 느껴지는 사회의 거리, 퍼즐로 나누어진 그림 등등 하나도 빠짐없이 눈에 들어왔다. 예술로 사람들의 마음을 파고드는 이들은 어떤 마음으로 그림을 그려내는 걸까. 각각의 모양새로 명화를 그려낸 작품들이 고이 내 마음으로 파고들었다.

"저 조각상은 선생님이 만드신 거야?"

시선을 돌리니 한눈에 들어오는 작품 하나가 있었다. 손끝을 따라서 시선을 옮기는 우현이였다. 한 걸음 다가서다 아니라며 자기 친구가 만든 작품이라고 했다. 그의 말을 듣곤 소름이 돋았다. 정말 완벽했기에. 곧바로 작품으로 걸음을 옮겼다.

"얼른 와봐!"

신비로운 작품에 마음이 들뜬 것 같았다. 뒤에서 쳐다보고만 있던 우현이를 불렀다. 작은 목소리가 대관에 울려 퍼졌다.

"하람아. 사람들 있는데 그렇게 큰 소리로."

"들떠가지고 나도 모르게…."

살짝 풀이 죽은 모습에 더 이상 말을 잇지 않았다. 다른 말을 꺼내었다. 작품에 흠이 많다며 말을 건네는 우현이에, 잔소리를 듣지 않아 행복했다.

"흠이 많다는 건 무슨 뜻이야?"

말이 이해되지 않아 물으니 조심스레 입을 여는 우현이였다.

"뭘 표현한 것 같아?"

"생각에 빠져있는 것 같은데. 모르겠어."

알려달라는 눈빛을 본 우현이 말을 이었다.

"아픔을 표현한 거야."

차분한 목소리가 들려와 고개를 돌려 그를 쳐다봤다. 우현이는 앉아있는 조각상을 천천히 위아래로 훑었다.

"얼핏 보면 생각하는 사람처럼 보이지만. 아픈 몸을 보호하고 있는 거야. 살기 위해서. 자세히 보면 왼손엔 손가락이 하나 없고, 귀를 보면 쥐가 갉아 먹은 것처럼 한쪽 귀가 갉아 먹혀 있어. 이 모든 게 걔가 표현한 아픔이야."

탐탁지 않은지 한숨을 내쉬는 그였다.

"사람들은 괴상함이 들리는 소리에 죽어가고, 살려고 손을 뻗을수록 아픔에 치닫지. 행복을 붙잡지 못하는 손을 표현한 거야. 자세히 보지 않거나 작품을 이해하지 못한다면. 다들 그런 생각을 해. 단지 생각하는 사람일 거라고. 사실상 아픔을 끌어안은 거뿐인데."

우현이는 조각상을 보며 긴말을 늘어놓았다. 측은한 표정을 내지으며. 한마디로 사회에 대한 아픔과 고통을 만들어낸 작품이라는 걸. 우현이의 말을 들으니, 완벽해 보이기만 했던 조각상의 아픔이 눈에 들어섰다.

보잘것없이 잘려있는 손가락, 조잡하게 갉아 먹혀 있는 귀. 말을 듣고 나니, 손가락과 귀 외에도 아픔이 하나둘 드러났다. 조각상의 아픔을 알수록 기괴해 보였지만.

“사회에 대한 아픔이 정말 잘 드러나 있네.”

“그래서 얘가 이걸 만들어 나갈 때 문득 궁금했어.”

“궁금했다고?”

“응. 얘는 어떤 생각으로 인생을 살았길래. 아픔을 세세히 표현할 수 있는 거지. 아픔을 극복해 낸 모습은 안 담겨 있는 건가. 이런 거.”

우현이의 말에 고개를 끄덕였다. 듣고 보니 나까지도 그의 의도가 궁금해졌다. 그는 어떤 인생을 살아왔기에. 아픔을 예술로 표현할 수 있었던 걸까.

“극복해 낸 모습은 정말 안 보이네.”

고개를 돌려가며 조각상을 눈에 담았다. 어디에도 나타나 있지 않은 것 같았다. 보이지 않는다는 말에 우현이는 나를 이해한다는 듯 어깨를 토닥여왔다. 그러고는 말을 건네왔다.

“알고 보면 한눈에 볼 수 있어.”

“한눈에?”

“응. 한눈에.”

의문이 들었다. 아무리 자세히 보아도 보이지 않았다. 혹여나 상처들 사이에 숨어있을까. 세세히 바라보았다. 그럼에도 보이지 않는 극복이었다.

"그러다가 목 빠진다."

빠질 듯이 뻗은 고개를 넣어주며 말을 이어오는 우현이였다.

무엇을 말하려는 건지 머리를 한번 부여잡은 뒤 나를 바라보았다.

"할 말 있어?"

누가 봐도 할말이 있어 보이는 그에게 당황한 탓에 말도 안 되는 질문을 던졌다. 우현이도 웃긴 지 따라 웃었다.

"극복해 낸 모습은 여기. 여기 있어."

우현이의 가리킴의 선을 따라 시선을 돌렸다. 시선이 도착한 곳은 다름 아닌 그저 조각상의 얼굴이었다.

"잘 모르겠어."

"아무리 귀가 없더라도, 손이 잘렸더라도. 얘는 지금 웃으며 살아있잖아. 조각상도 부서지고 나면 사라지니까. 아무리 슬퍼해도 살아있음에 극복이 들어간 거래."

우현이의 눈이 슬퍼 보였다. 왜 울상인 걸까.

"우리 모두 아픔을 극복하면서 살고 있어."

미술 작품에서 눈을 떼지 못하는 그의 얼굴을 들여다보는데 크나큰 파도에 휩쓸려 깊은 수심 아래, 슬픔이 빠진 것 같았다.

"울지마."

우현이의 눈에서 눈물이 흘러내렸다. 작품을 보고서부터 표정이 좋지 않았던 것 같은데. 우현이는 끝까지 작품에서 눈을 떼지 않았다. 혹시 무슨 일이 있었던 건가 싶어 물어보려 하니 선뜻 입이 쉽게 열리지 않았다 그의 표정을 보곤 좋지 않은 상황이 떠올랐다. 그리워 보이는 눈망울을 보니 친구와 다툼이 있었던 건 아닌 것 같았다.

"혹시 이 작품…."

한참을 망설이다 조심스레 입을 여니, 다급하게 나를 끌어안았다. 끌어안는 우현이에 깜짝 놀라 몸을 떨었다. 놀란 마음으로 나를 붙잡은 그를 바라보았다. 치켜올려진 목이 아려왔지만 아픔을 신경을 쓸 겨를이 없었다.

미술관 안에 있는 모두가 우릴 향해 고개를 돌렸다. 끝까지 끌어안는 그를 말 없이 안아주었다. 고개를 파묻곤 눈물을 흘리는 우현이를 토닥여주었다.

"괜찮아, 괜찮을 거야."

말 한마디에 힘껏 어깨를 붙잡아왔다. 옷이 구겨지는 느낌이 들었다. 손을 보려 하니 되려 더 세게 끌어안는 우현이에 당황을 감추지 못했다. 누가 이토록 슬픔에 빠지게 만든 것일까. 숨을 크게 몰아 내쉬며 작품을 한 번 더 바라봤다. 천천히 의도된 작가의 미학을 읽어내렸다.

곱게 펴진 머리칼과 어딘가 공허한 표정. 골격이 보이는 목선을 지나 처져 있는 어깨. 실핏줄이 올라온 팔을 지나, 손….

미학을 읽어내리니 스쳐 지나갔던 팔로 시선을 맞추었다.

"2008.06.28 - 2025.09.12' 작게 새겨진 숫자와 얼핏 본 세글자가 눈에 들어차고 의문과 동시에 당혹한 마음이 번쩍였다.

"한지은?"

이름을 보곤 놀라움을 숨길 수 없었다. 꽤 오래전 멀어졌던 그 여자아이. 생일을 보고 뚜렷해진 지은이의 이름이 머리에 박혔다. 설마, 아니겠지.

생일은 잘못 기억했을 수도 있고 한지은 이라는 이름은 흔하니까. 적나라하게 적힌 숫자를 보곤 손에 들려 있던 꽃이 생각이 났다.

"벡우현."

"하람아."

나의 부름이, 나를 부르는 우현이의 목소리에 묻혔다. 확실히 해야 할 것 같아 눈살을 찌푸리며 우현이에게 물음을 건넸다. 혹시 지은이가 내 기억 속에 있는 그 애가 맞냐고.

우현이는 아무런 대답 없이 눈물을 흘렸지만, 손의 떨림으로 알 수 있었다. 정말 그 애가 맞구나. 아무리 8년이 지났어도 지은이의 눈동자가 뚜렷했다.

"내가 말한 여자애 한지은인거 알았어?"

우현이가 지은이를 어떻게 아는 것인지 묻고 싶었다. 정말 죽은 건지 알고 싶었다. 이게 정말 사실인지 왜 이런 아픔을 봐야 하는 건지 묻고 싶었다. 그럼에도 돌아오는 답은 없었고 우현이의 눈물은 멈추지 않았다.

"국화…."

이제서야 새하얀 꽃이. 국화꽃이란 걸 알게 됐다.

"백우현, 말 좀 해봐. 한지은 정말 죽은 거냐고!"

우린 사람들의 모습을 가볍게 보고, 가볍게 받아들이는 사회에서 살아가고 있다. 누구도 고요의 외침을 듣지 못한다.

나에게 해맑은 웃음을 보여주던 지은이마저도 아픔을 앓았던 것처럼. 하루하루를 보내던 나처럼 지은이도 사회에 아픔을 숨기며 열여덟, 그 아이에게 가장 이쁜 나이에 잠에 들었다.

왜 죽음을 선택했을까. 따스한 미소를 갖고 있던 지은이가 어째서 죽음을 택한 것일까.

어린 나이에 찍혀있기엔 무모한 연도가 쓰여 있었고, 나 또한 우현이의 구원이 아니었더라면. 나는 생의 기간도 모르는 채 죽어있었을 수도 있었겠다. 남 일 같이 느껴지지 않아서 조각났던 기억이 떠올랐다. 우리의 조각을 꺼내 들어, 잠시나마 위로를 건넸다.

한지은. 몇 년 만에 부르는 이름이 낯설게 느껴졌다.

나는 너의 미학에서 '이는 얼마나 기뻐하며 작품을 완성했을까.'라는 생각이 떠올랐어. 인정하기 싫지만 나를 떠난 네가 너무 밉고 원망스러웠지만 네가 남긴 마지막 작품은 빛을 발하고 있다는 걸 알려주고 싶어.

타당한 근거를 댈 수 없지만. 이거 하난 분명해. 모든 작품 사이에서 제일 먼저 눈에 들어왔어. 사람들은 숨어버린 아픔을 보지 못하겠지만 너한테 가장 가까운 이가 봤으니 편히 눈을 감아. 내가 느낀 너는 어쩌면 행복을 위해 죽음으로 다가선 건 아닐까라는 생각이 들어. 너는 항상 옳은 선택만 하던 아이였으니까. 나는 너의 열 살에 머물러 살아가고 있지만 부디 내 생각이 틀리지 않게 헛된 꿈이었을지라도. 열 살에 한지은이 그대로였으면 좋겠다. 내 말이 전부 맞았으면 좋겠다. 네가 원하는 모든 것을 이루고 만날 수 있기를 간절히 소망한다.

"울지마."

위로가 안 될 거란걸 분명히 알고 있었다. 그럼에도 우현이의 등을 토닥여주었다. 엊그제까지만 해도 웃으며 대화하던 친구가 고인이 되었다는 걸 알았을 때. 닿지 않을 물음을 외쳤을 이를 떠올리니 가슴이 저렸다.

우현이와 함께 지내온 지은이가 극복하지 못한 세상을 어떤 마음으로 바라봐야 하는지 막막해 보였다. 지금 당장 지은이를 위해 해줄 수 있는 게 아무것도 없어서 자신에게 남은 그의 향기가 점점 흐릿해져서. 자책하는 우현이였다.

흰 국화를 손에 든 자신을 외롭게 바라볼 사람들의 시선을 알기에. 손에 든 국화를 숨기고, 작품을 애처롭게 여기던 건 아니었을까. 우현이의 생각과 슬픔이 나한테까지 전해지는 것 같았다. 울면서 매달리는 우현이를 어떤 식으로 달래주어야 하는 걸까. 공황에 미쳐 살던 나를 구원해 준 너에게, 아직 달래주는 법은 배우지 못해서 너를 향해 바보 같이 아무 말도 하지 못했다.

"나도 슬퍼져. 진짜 그만 울어."

어색한 손짓으로 천천히 등을 토닥여주었다.

예전에 해님 달님이라는 동화책을 읽은 적이 있다. 여동생과 오빠의 기도를 듣고 동아줄을 내려주는 이야기. 만약 동아줄을 내밀었어도 그들이 동아줄을 보지 못한다면 순식간에 장르가 바꿔었을 것이다. 동화책처럼 우리는 시야가 좁은 상태로 위태로운 세상을 누비고 있다.

짓밟혀버린 꿈들과 따라가지 못하는 발. 가까이서 아픔을 느끼고, 서로에 대한 아픔을 권위 잡아, 지위하고 있으며, 그렇게 어리석은 사회를 살아가고 있었다.

"좀 쉬러 갈래?"

아무런 답도 없는 우현이를 보다가 이러다간 정말 안될 것만 같아서 울고 있는 우현이의 손을 끌어 전시회관 밖으로 나왔다. 질질 끌려오면서도 계속해서 눈물을 흘려댔다. 그와의 기억이, 추억이 얼마나 포근하고 달았을지.

난 우현이의 아픔을 멍청히 지나칠 수 있는 사람이 아니다. 우현이의 행동 하나에 의미는 너무 깊어서. 이 순간 내가 할 수 있는 건. 드러나 버린 아픔을 모르는 체하며 한 움큼 덜어내는 것. 그것뿐이었다.

"이 노래 들으면 조금이나마 괜찮아질 거야."

벤치에 앉은 우현이의 귀에 이어폰을 꽂아주곤 노래를 재생했다.

It's gonna be okay.

다 괜찮아질 거야.

Everyone needs a bad day.

누구에게나 힘든 날은 필요한 법이야.

Remember you told me.

네가 나한테 했던 말을 기억해.

You're not alone.

넌 혼자가 아니야.

들으며 정말 많은 상처를 외면할 수 있었던 노래를 들려주었다. 노래엔 위로와 절절한 마음과 따사로움이 담겨 있다. 우현이에게 위로가 되었는지 노랫소리가 귀를 맴돌고, 점차 눈물을 삭혔다. 그래도 슬픔은 아직 남아있는 것 같았다.

"저기, 우현아. 같이 편의점이라도 갔다 올래?"

아무 답도 돌아오지 않을 걸 알면서도 한번 물어본다. 혹여나 네가 날 붙잡기라도 할까. 이렇게라도 한다면 네가 입을 열까 싶어서. 아무런 답도 들려오지 않기에, 망설임을 뒤로하고 자리에서 일어났다.

"잠시만 기다려. 휴지라도 사 올게."

"봄하람."

갑작스레 붙잡힌 손목에 놀라 몸을 움츠렸다. 차가운 온기가 느껴졌다. 자그마한 목소리가 떨리며. 나를 붙잡았다.

"가지 마…."

손목을 당기는 힘에 제자리에 앉았다. 돌처럼 굳어 우현이를 바라보니 코 먹은 소리로 나지막이 말을 해왔다.

"혼자는 아직 무섭잖아. 가지 말고 옆에만 있어 줘."

두려움이 잊힐 정도로 우현이가 걱정되었던 걸까. 아니면 우현이가 있기에 두려움이 줄어든 걸까. 그의 말을 들으니, 거리를 돌아다닐 자신이 사라졌다. 묵묵히 옆자리에 앉아, 괜찮아질 때까지 함께 있어 주었다.

상처가 가라앉기 전까지 불안을 함께했다.

이어폰을 꽂은 채 눈을 지그시 감고 있는 우현이를 바라봤다.

얼마나 많은 눈물을 흘렸으면 벌써 눈이 이렇게나 부은 건지. 볼에 묻어난 눈물 자국을 눌러가며 닦아냈다. 가만히 나의 손길을 받아내는 우현이였다.

"...하."

깊은숨을 내쉬며 조용히 노래를 듣던 우현이는 조금이나마 나아진 건지 꽂고 있던 이어폰을 빼내었다. 손에 들린 이어폰의 선을 정리하는 우현이를 향해 괜찮다고 했지만, 꿋꿋이 선을 정리하곤 나의 손에 쥐여주었다. 고르게 정리된 이어폰을 바라봤다. 우현이 목을 가다듬곤 말을 이었다.

"미안해."

미안하다는 세글자가 이리도 아팠었나. 말 한마디에 고초를 겪었다. 그를 이해하기에 어려웠다. 나에게 미안할 일이 뭐가 있다고 미안하다. 그러는 건지. 하찮은 말을 다시 주워 담을 순 없는 건지. 마른 입술을 축이며 우현이의 머리칼을 넘겨주었다.

"나는 고마워."

"응? 네가 왜."

"세상을 알려줘서."

나의 말에 우현이는 알 수 없는 표정을 지었다. 내게 미안하다 했지만, 나에게 그는 사과해야 할 일을 하지 않았다. 오히려 나는 고마움을 느꼈다.

죽어 나가는 사회에 꽃 하나가 피어 꿀을 내뱉는 것처럼. 너희는 아픈 사회에 피어난 꽃들이고, 서로를 살리던 물과 같았으니. 잠깐 사이에 나는 다양한 아픔을 볼 수 있었고, 구원을 느끼며 우현이와 한 발짝 더 가까워진 기회가 되었다고 생각했다.

"그러니까 미안해하지 마. 네가 알려준 세상은 생각보다 춥고, 애달프지만. 오늘로 나는 살아갈 용기를 얻었으니까."

"하람아."

붉게 물든 눈 주위를 쓸어주었다. 두 눈을 감곤 손길을 받아내는 우현이였다.

"지은이랑은 어떻게 아는 건지. 나중에 괜찮아지면 알려줘."

이러고 있자니 괜히 지은이와의 옛 생각이 나서 웃음이 새어나왔다. 백우현은 한지은과 닮은 점이 너무 많아서 어려웠다.

"그러니까 미안해하지 마. 바보야."

"기분 좋아?"

"응. 갑자기 예전 생각이 나서."

"예전 생각인데 해맑게 웃네. 좋은 기억인가 보다."

"이제 좀 괜찮아진 것 같으니까, 자리 좀 옮길까?"

나의 말에 언제 울었냐는 듯 바로 걸음을 옮기는 우현이였다.

"앞으로는 울지마."

"안 울었어."

장난기 그득한 모습으로 나를 보곤 웃었다.

"그래. 이래야 백우현이지."

웃음이 새어나와 부드러운 미소를 지었다.

나도 모르는 새에 우현이의 위로가 되어주며, 함께 소요가 되어주었다.

우현이는 이런 나를

잊지 못할 순정이라고 했다.

학교를 갔다 오겠다는 우현이를 보내고 시원한 바닥에 널브러져 있었다. 처음 마주했던 다이어리는 어느새 더 낡아 있었지만. 안에 내용마저 세월을 마신 듯 흘러있었다.

그리움으로 가득한 다이어리 안 속에 우현이와 이루고 싶은 꿈을 적었다. 공황이 잦아들면 함께 또 한 번 바다를 가고 싶다고 우현이가 좋아한다던 떡볶이를 먹으러 가고 싶다고 심심할 때 좋아하는 만화카페를 가고 싶다고 원하는 걸 적었다.

과거에 얽매인 글이 아닌 미래에 대한 꿈으로 가득 차니 다이어리는 전보다는 밝아 보였다. 뿌듯함이 몰려와 미소를 지었다. 이걸 보고서 웃을 우현이가 생각났다. 무언가에 쫓기는 압박도 기분도 없이 학교를 다녀올 우현이가 기다려졌다.

흘러가는 초침 사이로 곧 열린 현관문의 시간을 재었다. “1초, 2초” 빠르게 초를 세었다. “3초. 지금.” 소리에 맞춰 문이 열리는 소리가 들려왔다. 듣기 싫은 굉음이 울리고 문이 열리는 순간 해맑은 미소로 들어오는 우현이 보였다.

“봄하람!”

나의 이름을 부르며 해맑게 들어오는 목소리에 곧바로 우현이에게 달려갔다. 서로를 반겼다. 찬 기운이 느껴지는 우현이의 볼을 쓰다듬어주었다. 간지럽다며 미소를 짓는 그에 함께 웃었다.

“잠깐, 잠깐. 여기서 봐.”

턱을 까딱이며 잠시 멀게 서보라는 우현에 고민하다 무슨 말인가 싶어 멀어졌다.

“이거 봐.”

뒷짐을 지고 있던 손을 풀며 나에게 무언가를 전해주었다.

“웬 종이?”

“뒤집어봐.”

우현이의 말에 홀린 듯 종이를 뒤집었다.

“이쁘지?”

뿌듯하다는 듯 말을 걸어오는 우현이의 목소리가 들렸다. 종이를 보고 한참을 아무 말도 못 했다. 작은 종이에 담긴 건 반짝하고 빛을 발하는 윤슬이었다.

“오늘 미술 시간에 그리고 싶은 거 그리래서 열심히 그렸어.”

우현은 칭찬을 바라는 눈빛으로 나를 바라봤다.

"완전 이뻐. 진짜 이뻐."

나의 말에 따스하게 웃었다. 애정 가득한 그의 표정과 행동 속에서 온기가 퍼져나간다. 아름다운 순간들이 나를 감싸왔다. 그림을 보고 있으니, 닿을 수 없던 윤슬이 나에게 온 것 같아서. 가을이 뺏어가기 전에 오래 간직하고 싶었다.

"너 좋아할 것 같아서 그린 건 맞는데. 계속 그것만 보고 있으라고 그린 거 아니거든."

말의 어투가 삐진 것 같았다. 공기를 넣어 빵빵해진 볼을 누르며, 우현이를 달랬다.

"어이구, 네가 그려준 거라서 더 보고 있던 거야. 윤슬에 특별함이 더 해져서 그런 거라고."

코끝을 꼬집으니 이제서야 풀린 듯 다급하게 손을 잡아 왔다. 지나가듯 한 말이었는데. 윤슬을 이렇게 선물해 줄 거란 생각은 정말 하지도 못했다. 아무 말도 하지 않고, 그의 마음이 닿았다.

"난 줄 게 없는데."

그림을 매만지며 말하니, 괜찮다며 해맑게 웃었다. 항상 받기만 해서 미안한 마음이 커져갔다.

"대신 곁에만 있어 줘. 이런 건 내가 할게. 옆에만 있어 줘."

"아, 나도 줄 거 있다."

갑자기 떠오른 버킷리스트에 탁자에 놓인 다이어리를 가져왔다. 우현이는 이건 내 다이어리 아니냐며 뭐냐고 물었고 '우리의 버킷리스트!'라고 적힌 페이지를 펼쳐 보여주었다.

"버킷리스트?"

“응. 너랑 하고 싶은 거 정리해 뒀어. 많진 않지만, 그냥 앞으로 생각날 때마다 적으면 되니까.”

적은 내용이라곤 아까 적은 세 가지가 전부였다. 꽤 오래 그리고 꼼꼼하게 보는 우현이에 괜히 뻘쭘해졌다.

“하람아. 나도 원하는 거 있긴 해.”

“뭔데?”

“우리집에서 살래?”

“어?”

“매번 이렇게 왔다 갔다 그러는 것도 어렵고, 하람이 네가 집이 무섭다며. 우리집에 아무도 안 와. 나 혼자야. 그러니까 이 집은 가끔 들르고 우리집에서 살래?”

생각해 본 적 없는 말이라 당황스러웠다.

“너 집에서 살기엔….”

“집오고 싶을 때마다 같이 오자. 나 충분히 그렇게 해줄 수 있는 남자야. 하람이 네가 원한다면 언제든 와도 좋아.”

우현이는 나를 바라보며 너그럽게 웃어주었다. 비록 내가 떠날 수 있는 자리가 아니지만 우현이와 오가기를 선택했다. 함께하는 것에 대한 후회는 한 번도 없었기에 이번에도 우현이의 말을 따랐다.

“버킷리스트는 우리집 냉장고에 붙여두자. 잘 보이게.”

손에 들린 다이어리에 버킷리스트 종이를 뜯어냈다. 다이어리 사이에 꽂아두곤 정말 집까지 들고 갔다. 정말 애지중지 아끼면서. 과한 보호에 웃음이 터졌지만 우현이는 굴하지 않았다.

"그래서. 곁에 있어 달라는 말에 대한 대답은?"

신이 난 얼굴로 짐을 챙기는 우현이였다. 무얼 답하기 어려운 말이었다. 곁에 있어 달라는 약속을 지킬 자신이 없어 고개를 끄덕이지 못하니 우현이는 대답을 보챘다.

"대답 좀 해줘."

"혹시 모르잖아."

근심 가득한 나의 말에 풀이 죽은 모습을 보여주었다.

"나한테는 너만 있으면 돼. 외롭지 않게 곁에 있어 줘."

긴 시간이 지나도 이 마음이 영원할까. 간절해 보이는 우현이의 말에 힘겹게 고개를 끄덕였다. 환호하는 우현이를 보니 어린 아이를 보는 것 같았다.

아직 미숙한 나를, 나조차 몰랐던 나를. 우현이는 사랑하고, 믿고 있었다. 나를 몰랐음에도 곁에서 지켜주던 우현이를 잃으면 안 될 것 같은데. 무슨 감정인지 모를 마음이 자꾸만 초조해졌다. 미래를 그릴 수 있을까. 행복이 영원할지 모르겠다.

깊은 생각에 빠진 걸 알았는지 손목을 붙잡곤 낡은 소파로 향하는 우현이였다. 할 얘기가 많다며 다른 이야기를 꺼내 들었다. 오늘 학교에서 무슨 일이 있었는지 아냐며 나에게 말을 이었다. 걱정을 안곤 우현이의 말에 귀를 기울였다.

올라간 입꼬리가 파르르 떨리는 게 보였다. 누가 봐도 거짓된 미소였다. 그런 미소를 달고 얘기하는 우현이가 애달팠다. 어색하게 파인 보조개가 눈에 들어왔다.

"거기에서 내가."

말을 이어가던 우현이를 말없이 끌어안았다. 우현이는 안긴 채 아무 말도 하지 않았다. 오늘따라 왜소해 보이는 등을 토닥이며 작게 사랑한다고 속삭였다. 한동안 아무 말도 없는 우현이였지만, 어깨가 점차 젖어가는 느낌이 들었다. 어쩌면 우현이도 영원이 존재하지 않다는 걸 느낀 건 아닐까.

우현이는 끝까지 나에게 사랑한다는 말을 하지 않았다. 사실 조금 우스운 게 있다면. 이런 내가 사랑을 말한다는 게. 우스웠다. 사랑을 배우고 나누며 언젠가는 우리가 될 수 있겠지.

이번 여름은 아프지 않았으면 좋겠다.

우현이의 손에 이끌려 포근한 집에 도착했다. 현관 비밀번호를 재빠르게 누른 뒤, 집으로 들어올 수 있었다. 변함없이 깨끗하고 무엇보다 따스함이 가득한 이 온기가 나를 안정감에 취하게 했다.

"여기 잠시 있어. 씻고 나올게."

급하게 수건과 옷을 챙겨 화장실로 향하는 우현이였다. 화장실로 사라져 버린 우현이에 마땅히 할 게 없어서 소파로 향했다. 정말 따뜻하다. 폭신한 소파에 앉아 몸을 기대었다.

"우리집 소파는 다 낡아 떨어졌는데."

괜히 암울해져 자리에서 일어났다.

넓은 거실을 한번 살핀 뒤, 천천히 집 안을 살펴봤다. 가지런히 정리되어 있는 옷들과, 먼지 한 톨 없는 수납장, 벽에 걸려 있는 해바라기 그림이 보였다. 꽤 넓은 거실을 둘러보곤 방 안이 궁금해져 조심스레 문 앞으로 다가갔다. 처음 만났던 그날 머물렀던 자리.

조심스레 문을 열고 들어갔다. 곱게 정리되어 있는 이부자리가 눈에 들어왔다. 축축이 젖었던 침대까지 정리했을 생각하니, 이제 와서 미안한 마음이 들었다.

휜한 책상을 둘러보고 옆에 있는 책장을 둘러봤다. 많은 책이 꽂혀있었다. 당시엔 정신도 없어서 몰랐는데. 정갈하게 정리된 모든 것들에 안심이 되었다. 눈앞에 보이는 책 한 권을 집어 들었다. 꽤 두터운 책이었는데 책을 펼쳐 훑어보고는 바로 지루해져 책을 덮었다. 재밌는 책은 없나 싶어 책장 밑까지 고개를 숙였다. 수많은 책 중 눈에 들어오는 책 한 권이 있었다.

형형색색 두꺼운 소설집들 사이에 있는 작은 동화책. 곧바로 동화책을 꺼내 들어 책을 살폈다. 어떻게 집에 이런 것까지 있지. 신기할 따름이었다. 책을 펼쳐 내용을 읽으니, 동화책이어서 그런지 내용이 짧아 읽을 맛이 났다. 차근차근 글을 읽었고 무언가 바닥에 떨어져 있었다.

“언제 떨어진 거지?”

급하게 종이를 주워 들었다. 익숙한 날짜가 눈에 들어오고 급하게 종이를 뒤집었다. 세 명의 아이가 해맑게 웃고 있었다. 이쁜 웃음을 내보이며, 서로를 바라보며. 다정한 어린 남녀의 모습이 담겨 있었다.

책을 읽던 자리에 그대로 몸이 굳었다. 이게 무슨 일이지. 이게 무엇인지. 사진 안에는 지은이와 내가 있었다. 또한 익숙한 보조개를 가진 남자아이가 함께하고 있었다.

믿기지 않아서 혹시 잘못 본 게 아닌가 싶어 다시 사진을 들여다보았다. 다시 봐도 어린 시절 지은이와 함께 찍었던 사진이었다. 혼란스러운 마음을 진정시키며 화장실에서 빨리 우현이 나오길 바랐다. 기다릴수록 초조함이 몰려왔다. 어린 시절이 기억나서인지. 아니면 이 남자아이가 정말 우현이일 수도 있을 거란 생각이 들어서인지. 불안한 마음과 함께 손이 떨리기 시작했다.

혹여나 이 순간에 공황발작이 올까. 크게 심호흡했다. 들이마시고 숨을 내쉬고 일정하고 크게 호흡에만 집중하며. 두 눈을 질끈 감았다. 얼른 그가 나왔으면 좋겠다.

끼익-

“봄하람.”

간절함이 닿은 걸까. 화장실 문이 열리는 소리가 들렸다. 바로 우현이에게 달려갔다. 젖은 머리를 털어내며 화장실 슬리퍼를 정리하고 있었다.

“백,우현.”

급하게 달려 우현이에게 지은이의 이름을 읊었다. 얕게 떨린 어깨를 봐버렸다.

머리에 얹힌 수건을 걷어내고 떨리는 나의 손목을 우현이 잡았다. 무슨 일이냐며 물어오는 우현이에 반대 손에 들려 있던 인화 사진을 들이밀었다.

"이거 무슨 사진이야?"

"이게 왜 너한테 있어?"

볼품없이 떨리는 목소리에 목을 한번 가다듬었다. 우현이는 나를 한번 바라보곤 손에 들려 있던 사진을 낚아챘다, 말없이 사진을 가져간 우현이에 누구냐고 한 번 더 물음을 던졌고 우현이는 말해주겠다며 나를 소파로 데려갔다. 축축한 머리를 수건으로 쓸어내리며 천천히 입을 여는 우현이였다.

"숨기려던 건 아니었어. 내가 정말 누구인지 알게 되면 겨우 가까워진 너인데 다시 멀어질까 봐 그랬어."

말을 듣자마자 하나의 기억이 스쳤다.

"동화책에 끼어 있었지?"

함께 닳도록 나누어 읽던 동화책.

"나랑 네가 많이 읽던 책이었잖아."

그의 말과 함께 과거의 이야기가 시작됐다. 자신이 누구인지. 무슨 일이 있었던 건지. 그의 말 한마디에 희미한 기억들이 떠오르려 했다. 궤도가 묻어나는 과거를 들으며 어두운 과거를 회상한다.

우현아 너와의 만남은 정말 우연이었을까.

부서진 모래성을 그리다

파도를 사랑했다.

깊은 수심은 묘려하다.

나는 청미하고 아름다운 날을 그리며 비행의 미학을, 또한 액사를 휘감아 패사할 것이라 다짐했다. 아름답다고 완벽한 것은 존재하지 않는다.

“우현아”

바다 끝에서 엄마의 목소리가 들렸다. 잔잔하게 나를 부르는 소리에 다은이 느껴졌다. 이 사랑이 영원하길 바라고 작게 소망한다. 염원을 소망하고 이런 감정들은 싱그럽다.

나는 어릴 때부터 대단한 것도, 특출나게 뭘 잘하는 것도 없었다. 단지, 사랑을 많이 받는 아이라는 타이틀이 컸다.

곁에 있던 모두가 타이틀을 걸고넘어졌다. 다정한 아빠와 따스한 엄마가 항상 곁에서 함께였다. 다른 가정의 친구들과는 달리, 나는 부모님과도 애틋했다. 보고 싶어도 또 보고 싶은 사람이 부모님이었을 정도로.

나에게 가족은 인터넷에 떠도는 진부한 말처럼 없어선 안 될 존재였다. 엄마는 항상 바쁜 일상에서도 나를 데리고 놀러 다니셨고, 아빠는 배잡이를 다니시느라 바쁘셨지만, 집으로 돌아올 때는 자그마한 선물을 사 오셨다. 이 행복을 영원히 간직하리라 생각했다.

사랑하는 부모님과 정말 좋아하던 친구가 한 명 있었다.

봄하람.

하람이 곁에 있던 한지은을 그렇게 닮았다던 나는 하람이의 친구였다. 사실을 숨기려던 엄청난 이유는 없었다. 하람이의 이야기를 들은 날 기억 속에 남은 건 지은이뿐이었고 백우현이라는 아이는 완전히 지워진 채 다시 만났다.

어린 날의 우현이도 하람이를 많이 사랑했기에 다시 놓을 수 없었다. 처음 하람이를 만났던 학교 정문 그리고 바닷가에서도 그때는 하람이란 걸 알아채지 못했다. 하람이와 점점 가까워질수록 봤던 인연을 다시 붙잡을수록 사실을 알아갈수록 내가 사랑했던 그 애와 닮아있었다.

옛이야기를 듣고 정말 봄하람인 걸 알았을 때. 내가 백우현인 걸 알리고 싶었지만 그럴 수 없었다. 용기가 나지 않아서. 무서워서. 하람이는 나를 기억하지 못해서. 변명이라고 생각해도 어쩔 수 없다는 마음을 가졌다.

이런 이기적인 마음을 먹고 하람이 곁에 머물고 싶었다. 하람이는 지금 열 살의 우현이를 잃어버린 채 아무것도 모르는 열여덟의 백우현을 사랑하는 거니까.

"봄하람! 놀러 가자!"

여느 때와 다름없이 하람이 반으로 찾아가 문을 활짝 열곤 이름을 불렀다. 내 목소리를 못 들은 건지 창밖만 바라보고 있는 하람이에 반 친구에게 부탁해 하람이를 불러세웠다.

"백우현! 지은이는?"

"한지은 지금 복도에 있어."

"그래? 기다리겠다. 얼른 가자."

하람이는 밝고 착한 친구였지만 하루라는 동생이 생기고 나선 잘 웃지도 않고 맨날 멍을 때리고 있었다. 하람이의 꽃을 닮은 미소를 볼 수 있는 날이 줄어들었다.

"한지은!"

지은이와 터무니없는 계획을 세워 더 웃게 해주고 싶었다.

내가 많이 사랑했기 때문에. 뭣 모르던 초등학교 3학년이었지만, 나는 사랑이란 감정을 너무나도 빠르게 배웠다. 가족의 애정과 친구들의 귀애와 하람이에게 전하고 싶었던 나의 순애가 나를 사랑이란 깊은 곳으로 몰아넣었다. 사랑은 길고도 진했다. 진한 사랑의 진심을 들키는 건 한순간이었다.

유치원생이었던 하람이와 나는 항상 붙어 다녔다.

가끔 우리집에 놀러 와, 같이 게임을 하고 좋아하던 만화책을 읽기도 했다. 단순한 그림들이 뭐가 그리 재밌던 건지 둘이 오순도순 대화하던 기억이 어렴풋이 떠오른다. 정말 행복했었는데. 어째서 더 오래 함께한 나를 잊고 지은이만 기억하게 됐을까. 그렇게나 깊었던 관계가 무너졌을까.

✧

3월18일 시린 봄이었다. 3월 18일은 내가 제일 좋아하던 친구, 하람이의 생일이었다. 그만큼 나에겐 특별한 날이었다. 좋아하는 사람이 태어난 날을, 그 애가 태어난 날을 축하해줄 수 있다는 것. 느껴본 사람만이 이 기분을 알 것이다. 생일을 챙겨줄 수 있는 관계라는 것과 나의 축하를 받고 행복해할 그 애를 생각할 수 있다는 것 또한 나를 행복하게 만들었으니.

아침 일찍 부지런히 몸을 이끌어 짐을 챙겼다. 하람이를 위한 선물을 바리바리 챙겼다.

"우현아, 짐이 너무 많은 거 아니야?"

느긋하고 여유로운 몸짓으로 손에 들고 있던 짐을 옮겼다.

"괜찮아요!"

"아무리 하람이라도 네가 너무 그러면 부담스러울 수 있어."

"부담스러울 수 있다는 거 알아요. 하지만 행복하게 해주고 싶어요! 지은이랑 약속하고 준비한 거예요! 하람이가 요즘 웃지도 않고, 학교 마치고 나면 완전 죽상이에요."

"어이구. 우리 우현이가 엄마를 그렇게 챙겨주면 좋겠다. 아들내미 키워봤자 소용없다더니."

어깨를 으쓱이는 엄마에 왜 그러냐며 어리광을 부렸다. 항상 어리광 한 번이면 쓰러지는 엄마의 행동에 습관이 되어버렸다.

"내가 엄마를 사랑하는 건 세상 모든 사람이 아는 사실인데. 엄마가 모르면 안 되죠!"

엄마는 나의 볼을 움켜쥐곤 못 말린다는 표정을 지었다. 사랑이 엄마의 눈에 담겨 있었다. 드넓은 바다에 숨어있는 귀한 진주가 엄마의 눈에 박혀 빛을 내는 것 같았다.

"엄마 늦기 전에 얼른 가요."

"알았어. 남은 짐은 이리 줘. 엄마가 들어줄게."

"저 힘 짱 세요! 괜찮으니 걱정하지 마요."

가냘픈 팔을 우쭐대며 웃어 보이니, 엄마도 함께 미소를 지었다. 차에 올라타 학교로 출발했다. 선물을 받을 하람이를 생각하니 웃음이 사라지지 않았다. 행복과 함께 학교로 출발했다.

스쳐 지나가는 풍경을 눈에 담았다.

순식간에 지나치는 오늘을 눈에 담았다.

"다녀오겠습니다!"

학교 입구에 차를 세웠다. 우렁찬 목소리로 엄마한테 인사를 전했다. 나를 보곤 잘하고 오라며 이마에 짧은 입맞춤을 건네주었다. 엄마를 향해 보조개를 띠었다.

"오늘 엄마, 아빠 일 도우러 갔다 올 거야. 집에 도착하면 연락하고, 씩씩하게 잘 보내야 해."

머리를 쓸어 넘겨주었다. 다정한 손길을 받아내며 고개를 끄덕였다. 행복한 하루가될 것 같았다. 짐들을 챙겨 급하게 차에서 내렸다. 끝까지 손을 흔들며 엄마에게 인사했다. 차가 출발했을 때 그제야 높이든 손을 내리곤 학교로 들어갈 수 있었다.

텅 빈 학교에서 하람이를 불렀다. 복도 끝, 창가에서 밖을 보며 잔잔히 불어오는 바람에 맞서고 있는 하람이가 보였다. 뜨거운 태양 빛을 받고 흩날리는 나뭇잎들을 보며 웃고 있었다.

"봄하람, 거기서 뭐해!"

복도의 끝과 끝 사이로 하람이의 이름이 울렸다. 목소리가 복도의 울림으로 번졌다. 몸을 돌려 나를 보는 순간 하람이가 활짝 웃었다. 해맑은 미소를 띠며 웃는 너는 신이 내린 보석 같았다.

생일 선물을 꼭 껴안아 하람이를 향해 뛰었다. 내 모습이 웃겼는지 뛰어오는 내내 나를 바라보며 웃고 있는 네가 보였다.

"백우현 너 다치면 어쩌려고 그렇게 위험하게 뛰어와."

이쁘게 웃고 있었으면서. 눈앞까지 도착하니 잔소리하는 하람이였다. 아무렇지 않은 척 숨을 고르며 하람이의 눈앞으로 선물을 흔들었다.

"이거 다 네 거야."

"이걸 왜 주는데? 발렌타이야?"

"뭐야 봄하람 장난치지 마. 오늘 네 생일이잖아. 내가 장난에 속겠냐. 엄마 아빠 졸라서 네가 좋아할 것들만 담았어."

"오늘 며칠이야?"

"3월18일. 너 생일이라니까. 봄하람 뭐 잘 못 먹었어? 어디 아픈 건 아니지?"

얼빠진 얼굴을 하곤 손으로 얼굴을 틀어막는 하람이였다.

"완전히 잊고 있었어…."

처음엔 그저 장난인 줄 알았던 하람이의 말이 진실인 걸 알았을 때 슬프지도 아프지도 않았다. 그냥 걱정되었다. 아무리 바빠도 날짜는 보고 살라는 실없는 말을 해댔다. 내가 없을 땐 너라도 너 생일을 챙겨줘야 하는 거 아니냐고.

부질없는 말을 더 내뱉기 전에 두 손에 들린 선물 상자를 쥐여주었다. 자기의 생일이 뭐라고 이렇게까지 하냐고 물었다. 하람이는 가벼운 말이었을 수도 있겠다. 하지만 매년 그 말을 들을 때마다 내가 얼마나 무너지는지 너는 죽어서도 모를 것 같다.

아려오는 마음을 애써 무시한 채. 남은 선물까지 전해주었다.

선물을 받으며 미안하다는 하람이의 말에 고개를 저었다. 선물을 받으려고 챙겨주는 게 아니라고 말을 전한 뒤 특별한 날이라고 말했다. 쓴웃음을 짓는 하람이였다.

"하여튼 백우현, 진짜 바보 같아."

하람이의 웃음에 따라 웃었다. 매년 챙기던 생일은 정말 특별한 기념일이 되기를. 하람이 네가 평생 이렇게 웃었으면 좋겠다. 언젠가는 너도 특별하다는 걸 알았으면 좋겠다. 내 욕심이라도 이루어지길 바란다.

"요즘 힘들었는데 고마워."

"어쩐지 잘 웃지를 않더라."

"그래도 너랑 대화할 때는 항상 웃었어."

생색을 내며 어깨를 으쓱이는 하람이가 귀여웠다.

"그랬어? 고맙게 느껴지네."

"나야말로 고맙지. 기댈 곳 하나 없다고 생각했는데."

선물을 눈에 담으며 이야기하는 하람이에 가슴이 먹먹해졌다.

기댈 곳이 없긴 왜 없어, 하람아. 내가 있잖아.

내가 늘 곁에 있을 거잖아.

하지만 내 다짐이 무색하게도 너의 기억 속에 나는 한지은으로 기억되고 있었다. 선물을 주던 나도. 너를 웃게 했던 나도. 너는 나를 한지은의 모습으로 기억하고 있었다.

"고마워 백우현."

내 이름을 부르던 네가 아직 선명한데. 네 곁에서 늘 웃게 해줘야겠다고. 이렇게 소소한 일들로 웃는 하람이를. 내가 지켜내야겠다고 생각하고 또 생각했었는데. 우리들의 다짐과 꿈들은 어느새 잊혀져 있었다.

웃는 하람이를 바라보고 있으니 어느새 차츰 학생들이 등교를 시작하는 게 보였다. 아쉬운 마음을 뒤로하고 하람이에게 인사를 건넸다. 학교가 끝난 뒤 함께 집에 가길 원했지만 하람이가 부모님 일로 안 될 것 같다며 거절했다.

하는 수 없이 고개를 끄덕이곤 교실로 돌아갔다. 교실 맨 끝 가장자리에 앉았다. 해가 들어오고 있었고 꽃잎들이 흩날리고 있었다.

시린 봄이었다.

"봄하람."

낮게 중얼거리며 턱을 괴어 창밖에 비치는 꽃들을 눈에 담았다. 시든 꽃들마저도 이쁘다. 창틀 사이로 들어오는 잔향을 맡으며 서서히 눈을 감았다. 아침 일찍 일어난 탓에 눈꺼풀이 무겁게 느껴졌다.

반 아이들이 점차 빈자리를 메꿀 때 잠에 빠져들며 하루를 시작했다. 잠에든지 얼마 안 된 것 같은데 짝꿍이 나를 흔들어 깨웠다. 담임 선생님께서 왔다가 가셨다는 말을 해왔다. 대충 끄덕인 후 다시 엎드리려 하자 쉬는 시간이 끝났다며 책을 꺼내라는 말에 짧게 고개를 끄덕였다.

잠을 이겨내고 서랍에 있던 수학책을 꺼낸 뒤 진심 없는 고맙다는 말을 전했다. 집에 가고 싶단 생각과 함께 1교시가 시작되었다. 엄마와 아빠는 지금쯤 함께 배를 타고 있겠지. 수업에 도저히 집중되지 않았다. 자연스레 생각나는 엄마를 깔끔한 노트에나마 끄적여본다. 짝꿍은 뭐가 그리 열심인지. 교과서를 뚫고 들어갈 기세였다. 눈에서 레이저가 나오는 것 같았다.

"대단하네."

중얼거리는 소리를 들었는지. 내려간 안경을 올리며 고맙다고 말하는 짝꿍이었다.

"아, 어. 들으라고 한 말은 아니긴 한데…."

당황해 머리를 긁적이며 자세를 고쳐잡았다. 나를 흘깃 본 짝꿍은 내 노트에서 시선을 멈추었다. 빤히 쳐다보는 그에 노트를 덮어버렸다. 갑작스러운 행동에 고개를 갸우뚱하더니 자신의 노트에 무언가를 끄적였다.

엄마는 왜?

투박하게 쓰인 글씨를 보며, 잠시 생각에 빠졌다.

그냥 생각나서.

그의 노트를 들고 와 답을 적으니 천천히 고개를 끄덕여 보였다. 대화가 끝난 것 같아서 고개를 돌렸다. 새하얀 칠판에 빼곡히 적힌 글자가 보이고 큰 목소리의 선생님이 보였다.

톡톡. 무언가로 손을 치는 느낌이 들었다. 뭔가 싶어 그를 봤다. 노트를 보라는 손짓에 시선을 떨어트렸다.

난 아빠 보고 싶어.

고작 일곱 글자가 나의 눈에 박혔다. 무슨 의미인지 몰라 그를 쳐다보니, 또 무엇을 끄적이는 그였다.

태어날 때부터 부모님이 없어서. 보육원에서 자랐어.

멀끔해 보이는 그의 외면과는 달리 아픈 내면의 상처를 품고 있었다. 노트에 적힌 내용을 보며 그의 이름을 물었다.

차준혁. 너는?

서서히 채워지는 노트에 짧게 석 자를 적었다.

백우현.

나의 이름에 뜻이 뭐냐고 물어온다. 묵묵히 글자를 적어냈다.

만날 우, 빛날 현.

뜻을 적으니, 작은 소리로 읊는 그였다.

“세상의 물결과 만날 때 빛을 띄울 것이다….”

감명을 받은 사람처럼 입을 벌리곤 감탄하는 준혁에 고개를 파묻었다.

“넌 무슨 뜻이야?”

고개를 파묻은 채 물으니 먹먹한 소리가 허공에서 흩어졌다. 잠시 고민하는가 싶던 준혁이는 곧바로 노트에 이름 뜻을 적었다.

기뻐할 준, 빛날 혁.

얼핏 봐도 이쁜 이름이었다.

“네가 기쁜 순간 가장 빛난다. 이름 이쁘네.”

나의 말을 들은 그가 쓰게 웃었다.

“아빠가 돌아가시기 전에 엄마랑 아빠가 이틀인가 이주인가 고민하고 고민해서 같이 지었던 이름이래.”

준혁의 말을 듣곤 고개를 끄덕였다.

“응. 네 이름에서 사랑이 느껴진다.”

말 한마디에 준혁이의 눈가가 붉어지는게 눈에 들어왔다. 혹시 아픔을 건드린 건가 싶어, 노트에 ‘미안해.’ 세글자를 적었다. 그러니 고개를 내저으며 울음을 참는 것 같은 표정을 지었다.

아무 말 없이 그의 등을 두드렸다.

나는 느껴본 적이 없는 아픔이라서. 어리숙한 위로로 그를 달래줄 수 없었다. 말 한마디가 더 큰 상처가 될까, 토닥임만을 전할 뿐이었다.

짧고도 긴 대화를 나누고, 준혁이와의 사이는 가까워진 듯했다. 어색함도 풀리고 다음 교시였던 과학을 준비할 때 함께 과학실로 이동했다. 나름 나쁘지 않았던 것 같다.

"백우현! 어디 가냐."

뒤에서 지은이의 목소리가 들려왔다.

"나 과학실 가."

"이동수업이구나."

지은이는 옆에 있던 준혁이를 힐끔거렸다.

"얘는 짝꿍인데 친해진 애."

"나도 알거든. 준혁아 안녕."

지은이 인사하자, 준혁이도 반갑다는 듯 손을 흔들었다.

"너희 둘이 아는 사이야?"

"작년에 같은 반이었잖아. 진짜 남한테 관심 없는 거 봐."

이어지는 지은이의 탄식에 괜히 웃어넘겼다.

"우현아 이동수업 늦겠다. 우리 먼저 가볼게. 또 보자."

준혁이의 말 한마디에 상황은 정리가 되었다.

5교시가 끝날 무렵 마치고 집에 가기 전 함께 편의점을 들러 밥을 먹자는 준혁이에 흔쾌히 알겠다고 대답했다. 오늘은 집에 가도 엄마와 아빠가 없으니. 학교가 끝나길 기다리며 마지막 교시를 보냈다. 특별하고도 지루한 하루가 저물어 갔다.

학교가 끝이 나는 종이 울려 퍼지고 아이들의 시끌벅적한 목소리가 들려왔다. 마무리가 되어 간다는 걸 깨닫는 순간이었다.

"백우현, 편의점 가자."

준혁이의 말에 가방을 챙겨 학교 앞 편의점으로 향했다.

무엇을 먹을지 고민하던 찰나, 전원 버튼을 켰을 때부터 울리던 휴대폰 진동음이 또 울리기 시작했다. 긴고민 끝에 준혁이에게 잠시만 기다리라는 말을 하곤 핸드폰을 집어 들었다.

모르는 전화번호에 긴가민가하며 전화를 받았다.

▸ 백우현님 휴대폰 맞으실까요?

수화기 너머로 들리는 목소리가 익숙하지 않았다.

"누구세요?"

▸ 파랑병원입니다. 오늘 오후 3시쯤 10명이 타고 있던 어선이 침몰했다는 신고가 들어왔습니다. 사고 선박에는 선원 4명이 구조되었으며 이외에 2권의 사망 신고가 들어왔습니다.

"잠시만요. 침몰 사고요?"

▸ 백용우(부)님이 오늘 오후 4시 36분경에 사망하셨습니다.

목소리를 듣는 순간 아차 싶었다. 이게 사실이 아니라면? 보이스피싱이라면. 옆에 있던 준혁이 침몰 사고? 라는 물음과 함께 나의 표정을 보곤 무슨 일이냐며 속삭였다. 곧바로 준혁이에게 배 침몰 사고가 일어났는지 기사를 찾아달라고 전했다.

"백용우가 저희 아빠가 맞긴 한데. 정말인가요? 정말로 죽은 거예요?"

목소리가 떨려왔다. 죽었다는 말을 하자, 옆에 있던 준혁이 나를 쳐다보았다. 1시간 전에 올라온 침몰 사고가 눈에 들어왔다.

▸ 죄송합니다.

간단하고 명료한 목소리가 들려왔다. 순간 번쩍이듯 엄마가 생각났다.

"잠, 잠시만요. 엄마는요? 엄마도 같이 탔거든요. 매일 같이 타는 삼촌들이랑 아빠랑 오늘 같이 탄다고 했어요. 엄마는 어떻게 됐어요? 우리 엄마 괜찮은 거죠?"

다급한 목소리에 적막이 흘렀다.
설마 아니겠지. 아닐 거야. 를 되뇌며 한 번 더 물었다.

엄마는 어떻게 됐냐고, 엄마의 이름을 물어보는 센터분께 이름을 얘기해주니, 말을 잇지 못하는 그녀였다. 순식간에 절망에 빠졌다. 이게 무슨 일인지 이해되지 않았다. 그럴 리가 없잖아. 정말 이럴 리가 없는 거잖아.

▸ 나머지 4명의 실종자가 있으며 지금 해경분들께서 수색하고 있습니다. 선다혼(모)씨는 아직 실종 상태라고….

귀로 넘어오는 소리가 지옥 같았다. 눈물을 참을 수가 없었다. 그러면 안 되는 거잖아. 사랑했던 바다가 싫어졌다.

"찾을 수 있는 거예요? 찾을 수 있는 거죠? 저 내일 엄마랑 아빠랑 같이 놀러 가기로 했어요. 같이 배 구경하고 바다보고아, 그리고 밥도 먹고 오랜만에 다 같이 외식하기로 했는데…."

말에 힘은 없었고 나의 간절함은 닿지 않았다. 내게 말을 이어오는 그녀의 말 한마디에 절망에 빠질 수밖에 없었다. 해경까지 동원해 최선을 다해 찾고 있으니 조금만 기다려달라는 말만 반복할 뿐이었다. 전화가 끊기고 연락처만 띄워져 있는 화면을 바라봤다.

"괜찮아?"

멍하니 휴대폰을 바라보며 서있으니, 준혁이는 내게 괜찮냐며 물어왔다.

경찰과 헬기가 동원되어 실종된 사람들을 찾고 있다지만 정말 찾을 수 있는 걸까.

“한지은….”

순간 지은의 부모님이 생각나 지은이에게 전화를 걸었다. 일정한 연결음이 들렸다.

▸ 여보세요

“한지은. 전화받았어?”

▸ …

“받았구나.”

아무런 답이 없는 지은에 알 수 있었다. 지은이의 부모님도 좋지 않은 사고로 이어졌구나 싶었다.

▸ 우현아, 별일 아닐 거래. 기다려보자.

지은이의 말은 누가 보면 단단한 말이었겠지만 가까이 지낸 내게는 슬픔이 숨겨지지 않았다.

“야. 한지은. 너 괜찮은척한다고 내가 모를 것 같아?”

▸ 우현아 나 너무 피곤해서 그러는데 한숨 잘게. 연락오면 바로 전화하고, 나도 그렇게 할 테니까.

마지막으로 울지 말라는 말 한마디를 남기곤 전화를 끊어버렸다. 괜찮은척하지 않아도 되는데. 이 순간만큼은 울어도 되는데. 지은이는 울지 않았다. 전화를 끊고 울었을 수도 있겠다.

"지은이는 왜?"

"부모님이 같이 일하셔서."

안쓰러운 표정으로 나를 바라보던 준혁이는 나를 데리고 어디론가 향했다. 어떠한 말도 하지 않고 그저 붙잡은 나의 손목을 이끌었다.

"다녀왔습니다."

준혁이의 손에 이끌려 도착한 곳은 어느 보육원이었다.

준혁이가 들어서자 어떤 선생님이 준혁이를 끌어안으며 잘 다녀왔냐 물었다. 준혁이는 고개를 끄덕이며 '네.'라는 간결한 답을 전했다. 끌어안고 있던 선생님과 준혁이와의 거리가 멀어지고 나를 본 선생님께선 준혁이의 친구냐 물어왔다. 아무 말도 안 하고 멀뚱히 서있으니, 준혁이는 고개를 끄덕이며 어깨를 으쓱였다.

"잘생겼죠."

"인물이 훤칠하니 준혁이 같네."

뭐가 그리 좋은지 웃는 준혁이를 지켜볼 뿐이었다.

"친구는 이름이 뭐야?"

나를 향해 물어오는 선생님에 한숨을 내쉬며 입을 열었다.

"백우현입니다."

이름을 듣곤 이름마저 잘생겼다며 칭찬을 해왔다. 이 상황이 마음에 들지 않아 자리를 옮기려 몸을 돌렸다.

"잠시만!"

다급하게 손목을 잡아 오는 준혁이에 눈살을 찌푸리며 손을 내쳤다. 이럴 기분 아니라며 집으로 돌아가려 하자, 말로 붙잡아왔다.

"네가 네 모든 걸 보여줬으니 나도 내 모든 걸 보여줄게."

꽉 깨문 입술 위로 준혁이의 말이 맴돌았다. 결국 고여있던 눈물은, 계속해서 참아 삼키던 눈물은 고여있지 못해 아래로 떨어졌다. 이 아픔을 차준혁은 어떻게 견딘 걸까. 끝을 받아들이는 순간 정말 다신 볼 수 없을까 봐, 쉽게 입을 열지 못했다.

"둘이 할 얘기가 많은가 보네. 들어가서 얘기해도 돼."

어리석은 나의 모습에도 선생님은 웃으며 침착하게 나를 대하셨다. 준혁이와의 대화에 자리를 비켜주었고 벤치에 앉아 대화를 나누게 되었다.

무엇이 되었던 지금 나는 부모의 생사마저 모르는 상태인데. 이러고 있어도 되는 걸까. 초조한 마음이 들어 손톱을 물어뜯었다.

"손톱 물어뜯지 마. 왜 물어뜯는 거야."

"나 지금 이럴 시간 없다는 거 알잖아. 여기는 왜 데려온 거야. 나 엄마랑 아빠한테 가야 해."

"네가 지금 뭘 할 수 있는데. 너 이렇게 무방비한 이 상태로 가면 네가 있든 없든 다를 게 없어. 선생님께 말씀드릴 테니까 내가 도와줄게."

"어떻게 도와줄 건데. 네가 태어났을 때 부모님 안 계셨다며. 네가 장례를 치른 것도 아닌데. 다 아는 것처럼 굴지 마."

모진 말들만 골라 아무 잘못도 없는 준혁이를 욕했다. 정말 모진 말들만 골라서. 준혁이의 숨소리만 들렸다. 준혁이는 아무런 표정 변화 없이 나를 바라보고 있었다.

"도와줄게. 걱정하지 마."

모진 말들만 골라 상처 난 곳들을 의도적으로 건드렸는데 준혁이는 쓴소리 없이 함락된 나를 도와주었다. 어떤 말들을 덧붙이며 아무런 대가도 없이.

"괜찮으니까. 한 번만 믿어봐. 백우현."

속절없이 지나간 순간에 준혁이와 깊은 대화를 할 수 있었다. 준혁이가 태어나고 엄마와 아빠가 돌아가셨다는 것. 이후에 할머니가 키워주셨지만, 요양병원에 입원하면서 보육원에 오게 되었다는 것. 부모님은 나와 같이 사고로 돌아갔다는 말을 해왔다. 무뎌 보이긴 했지만, 준혁이의 표정 속에 암울한 바다가 들어찬 것 같았다.

무딘 말들 사이로 상처가 보였지만 애써 무시한 채 동정의 눈빛이 아닌 진심 어린 눈빛으로 준혁이를 바라보았다. 준혁이가 보여준다던 모습은 전부 속이 빈껍데기였지만 신기하게도 정말 위로가 되어주었다.

부모님은 아직 널 사랑할 거라며 말을 해오는 준혁이에 웃었다. 나를 위한 말들이 진실된 말이었다는 걸 바로 깨달을 수 있었다. 진심은 언젠가 전해진다는 사실도.

"부모님은 언제나 날 사랑하실 거야."

기세등등한 말투로 얘길 하니 준혁이도 웃었다. 슬슬 풀리는 분위기에 우리는 마무리하려 자리에서 일어났다. 순간이 지나가고 슬픔이 다가옴과 동시에 많은 것들이 바뀌었다.

슬슬 여름이 다가오고 쉬고 있던 학교를 나가기 시작했다. 하람이와의 관계는 무너진 지 오래였다. 수소문에 따르면 하람이가 가족을 살해했다. 이런 시답잖은 얘기가 들려왔다. 크게 신경을 쓰진 않았다. 하람이가 그런 아이가 아니란걸 알았으니까. 하람이를 먼저 찾아 나설까 생각도 했지만, 절차를 밟고 하람이를 찾으려 했을 땐 이미 늦은 후였다.

"한지은 오늘 부모님이랑 외식한대."

"또? 오늘 우리랑 놀기로 했잖아."

"그냥 둬. 엄마랑 아빠가 더 중요하지. 지은이한텐."

지은이네 부모님은 다행히 3시간 만에 구조에 성공했다. 낮은

체온에도 꿋꿋하게 버틴 지은이 부모님은 다행히 의식이 돌아왔다. 지은이와 병원으로 뛰어가 부모님 품에 안기는 지은이를 봤다. 부모님과 한지은 둘 다 울음을 터트렸고 먼 거리에서 그들을 지켜보기만 했다. 우리 엄마 아빠도 살아있었더라면.

후회가 밀려왔다.

"백우현. 우리 자리 비켜주자."

그날 이후로 지은이는 부모님과 함께하는 시간이 많아졌다. 자연스럽게 서로의 관계에 무뎌졌다.

"그 있잖아."

옆에서 걷던 준혁이가 말을 걸어왔다.

"왜?"

사랑하는 모든 것들이 사라진 후에 또다시 무너지고 그런 나를 준혁이가 곁에서 다시 세워주었다. 조심스레 입을 연 준혁이는 보육원에서 함께 지내는 건 어떠냐고 물어왔다. 준혁이와 친하던 선생님께서 내게 처한 일을 알고 나선 입소를 도와주셨다. 입소뿐만 아니라 어린 나를 대신해 관리자분들과 함께 마지막 날 장례까지 도와주셨다.

엄마 아빠가 편히 잠에 들 수 있게. 그렇다고 일이 전부 해결된 건 아니었다. 지은이는 어머니와 아버지를 다시 만났지만, 나는 아빠의 장례를 치르며 엄마의 시신은 찾지 못해 실종으로 사건이 일단락되었다.

관할 관청에서 절차를 밟고 사망 기록을 할 수 있다고 했지만, 난 엄마를 보지 못했는데. 차가운 바다에 혼자 갇혀있을 텐데. 어떻게 사망 신고만 할 수 있냐고 한나절을 울었다.

운다고 달라지는 건 없었다. 그냥 울고 나면 전보다는 나아지니까 쉴 틈 없이 울기만 했다. 어린 나라서 장례식장에 앉아 눈물을 흘렸다. 액자 속 아빠에게 뭐라 해야 할지 고민도 했었다. 아빠 곁으로 엄마를 보내줘야 하는데 찾지 못했다고 해야 하나. 엄마를 왜 지켜주지 못 했냐고 화를 내야 하나.

원망도 화도 나지 않았다. 나를 위해 일생을 바치던 아빠가 무슨 잘못이 있었겠나. 사랑한다는 말 한마디. 함께 하자는 말 한마디 더 못한 내 잘못이라고 생각했다. 아픈 과거에 얽매 숨을 헐떡였다.

면탄이 나오며 고작 10살이 버텨낸 아픔이었다.

시간이 지나고 밝은 준혁이 덕분에 어둠 없이 자랄 수 있었다. 가끔 기억나는 아픔은 나를 더 옥죄어 왔지만, 엄마와 아빠가 바라는 마음은 이것이 아닌 것을 알기에 슬픔에게 지지 않으려 더 밝게 살아갔다.

보육원에서 생활한 지 한 달이 되어 갈 무렵 입양을 가게 되었다. 처음엔 당황스러워 거절했지만, 준혁이의 권유로 결국 받아들이게 되었다. 새로운 시작은 항상 버겁고 순간순간이 어렵게 느껴졌다. 모든 걸 제자리에 두고 새롭게 시작 되리라 생각하니 떨림이 느껴졌던 것 같다.

준혁이에게 고마움을 전하며 새어머니와 새아버지를 만났다. 예전이 그리워지는 건 기분 탓이겠지. 모면할 것도 많았다.

그 감정들은 나를 성장하는 데에 도움이 되었다.

걱정과는 다르게 새 부모님을 만났을 땐 오히려 너무 잘해주셔서 감사한 마음이 컸다.

나를 위해 케이크를 사 오셨던 날. 초코를 안 먹는다는 사실을 늦게 아시고 다시 매장으로 가, 생크림 케이크로 바꿔서 오셨다. 부담스러운 마음과 감사한 마음이 공존하던 시절이었다. 새 부모님과 케이크를 나눠 먹으며 얘기를 나누었다.

부모님의 질문에 나의 이야기를 시작으로 우리는 말을 섞게 되었다. 그날 새어머니의 권유로 개명하게 되었다. 새아버지의 성을 따서 최, 백우현이 아닌 최이안이 된 순간부터 과거를 생각할 수 없었다.

이름마저 지워진 나의 과거에서 무엇을 생각할 수 있을까.

과거에 얽매여 살지 말라며, '밖으로 지경을 넓히고 안으로 모든 생명을 편안케 해라.'라는 전과는 너무나도 다른 새로운 이름이 지어졌다. 나를 위한 일이란 걸 알면서도 며칠 내내 눈물을 흘렸다.

이 아픔을 딛고 일어나는 순간 나는 내가 아닌 최이안이 되어 있을 거란 생각에 두려움이 컸던 것 같다.

백우현이 아닌 최이안은 너무 낯설었다.

"최이안? 말도 안 돼. 백우현 해. 새 부모님께 죄송한데. 이름을 바꾸는 건 아니지."

"어쩔 수 없잖아. 최이안하라는데."

“웃기시네. 난 끝까지 백우현이라고 부를 거다.”

“차준혁 너는 진짜….”

“나 뭐.”

아무것도 모르겠다는 표정으로 아이스크림 빨아대는 준혁이에 한숨을 내쉬었다.

“모르겠다.”

“백우현. 넌 너대로 살아. 백우현 같이.”

그렇게 1년, 2년. 긴 시간을 보내며 준혁이와의 사이도 두터워졌다. 함께 초등학교를 졸업해 중학교로 다른 반이 되었어도 서로를 챙겼다.

“다른 애들도 다 최이안이라고 부르는데. 넌 끝까지 백우현?”

“내 기억 속에 너는 백우현인데 어떡해. 백우현을 나까지 잊어버리면 너희 부모님이 슬퍼하실걸.”

준혁이는 최이안에 최자도 꺼내기 싫다며 백우현을 몇 년이고 불렀다. 백우현이 잊히지 않게 끝까지 우현이를 불렀다.

“너 부모님이랑 말 잘해. 유학 간다고 하기만 해.”

준혁이 자기 말을 똑똑히 들으라는 듯 귀를 잡아당겼다.

“유학 가자고 하면 나도 어쩔 수 없이 따라가야 한다니까.”

“진짜 재미없어. 정도 없어. 백우현 진짜.”

어리광을 부리는 준혁이의 머리를 쥐어박곤 도망을 쳤다. 통증이 몰려와 고개를 숙이는 모습을 보며 웃어댔다.

“너 잡히면 죽는다!”

중학교 졸업을 앞뒀을 무렵. 새 부모님은 나를 데려온 이유를 설명하셨다. 아이를 가질 수 없는 두 사람의 사정을 알려주셨고 처음, 이런 말을 해주시는 새 부모님께 감사하다는 말을 드렸다. 무슨 말을 해야 할지 몰라서 선택한 말이었다.

"그럼, 정말 가시는 거예요?"

"응. 이안이 너는 여기서 잘 지내야 해."

고등학교에 입학한 날 새 부모님은 다른 나라로 이민을 가셨다. 잘살고 있으라는 짧은 말과 함께. 딱히 상처를 받진 않았다. 정말 나를 친아들처럼 키워주셨기에. 오히려 두 분의 선택과 결심, 판단에 감사함을 느꼈다. 몇 년을 함께하면서 두 분의 꿈이 해외에서 살기라는 것을 알았고 그저 두 분의 선택을 받아들였다.

두 분이 떠나기 전 내게 남겨준 건 카드와 집이었다. 혼자 남은 집에서 새어머니와 새아버지가 주신 사랑을 받아먹고 엄마 아빠를 떠올리는 건 너무 이기적인 거였을까.

처음 사랑하는 부모님과의 이별을 겪고 사랑하던 하람이와의 어떠한 인사도 없이 이별하게 되었을 때 또 다른 아픔을 겪었다. 하람이는 잘 살아있겠지. 여러 가지 생각에 시달렸다. 새 부모님은 가끔 연락을 주시곤 하셨지만. 내가 고등학교 입학을 하고 일주일이 지나서부터 연락이 끊기게 되었다.

이틀 정도 부모님을 걱정하다가 메시지 프로필 사진을보곤 걱정과 부모님의 대한 정을 놓기 시작했다. 행복해 보이는 두 분을 보고서 더 이상 찾지 않기로 다짐했었다.

기억 속 어딘가에 자리할 일들이었다.

차차히 잊혀 사회에 어울렸다.

몇 번의 계절이 지나서는 별생각 없이 살았던 것 같다. 그냥 오늘이 왔다며 살아가고 폰을 쓰다가도 시간을 확인하곤 잘 시간이구나 하면서 다시 잠에 빠져들었다. 시절에 무뎌진 것 같다. 모든 상처와 아픔을 잊은 채.

"백우현 아이스크림 먹으러 가자."

"그러시던가요."

싫어하는 바다를 서성이던 건 엄마가 생각이 나서. 최이안이라는 이름의 뜻을 기억해 두던 건 이름의 뜻을 중요히 여기던 차준혁 때문에. 그리고 귀찮은 다이어리를 꼬박꼬박 쓰던 이유는 봄하람. 너를 잊기 싫어서. 나만의 방식 같은 거였어.

"난 너 유학 안 가서 너무 좋은데."

"알았다고."

"백우현은 진짜 자기밖에 몰라서."

"내일 바다나 갈래?"

"봐. 너 진짜 네 생각밖에 안 해. 바다 좀 그만 가!"

"싫으면 말던가."

"아, 진짜 백우현 같이 가!"

온전한 열여덟이 되기까지 꽤 오래 걸렸다.

✉ 차준혁

[맞다. 오늘 봉사활동.]

메시지를 확인하고 바다로 향했다. 어두운 풍경이 나를 압사시켰다. 차갑게 내려앉은 공기에 정신이 아찔해졌다. 내년 열여덟이 되면 이 바다까지 용서할 수 있겠지.

그렇게 혼자서 긴 바다를 걸었다.

드넓은 모래밭을 걸으며 다른 유가족분도 겪었을 엄청난 아픔을 다스렸다.

“엄마. 많이 춥지. 내가 미안해.”

해줄 수 있는 말이 없었다.

어디로 떠내려갔을까. 깊은 수심으로 떨어졌을까. 물고기들이 너도나도 하며 배를 채웠을까. 이런저런 생각들로 가득 찬 긴 밤. 찬 바람을 맞으며 깊은 바다를 보았다.

자잘한 모래가 흩뿌려진 모래사장 위, 피어오르는 감정을 모면하며 바다의 암시를 등졌다. 까마득한 길 끝에는 출구가 없었다. 달밤, 바다 위 반사되는 달의 모양은 알아볼 수 없는 형태였다. 시선이 마주할 때 바다가 나를 끌어당긴다. 낭만에 갇힌 마음은 구슬펐다.

희미한 빛으로 누군가 바다로 들어가고 있었고 그녀를 향해 뛰었다. 긴 머리에 얇은 외투 하나를 걸치고 있는 여자가 보였다. 천천히 한발씩 바다와 가까워졌다. 두 신발을 벗어 던진 채 죽음에 가까워지는 그녀를 보며 고민 없이 손을 뻗었다. 바다로 향하는 그녀의 모습이 배를 타던 엄마를 닮아 보여서 그랬던 걸지도 모르겠다.

처음 마주한 그녀를 붙잡고 애처롭게 빌었다. 무슨 일인지 모르겠지만 살아달라고 소리쳤다. 간절함이 그녀에게 닿은 건지. 아무 말 없이 나를 바라보는 그녀였다. 빛을 잃은 두 눈을 읽고 그녀의 손목을 붙잡았다.

차가움이 맴도는 그녀의 동공에서 살려달라는 목소리가 들렸다. 수심 밑바닥까지 깔린 듯한 그녀의 눈빛에 손을 놓을 수 없었다. 잘못된 선택으로 매몰차게 떠났더라면 당신이 어떤 모습으로 내게 돌아올지를 생각하니 끔찍했다.

내가 너의 목소리를 들어줄게.

신이 내린 운명이었을까. 우연찮게 시작된 인연이, 애처롭던 소녀가 너인 줄 알았을까. 무거운 말이라도 묻고 싶었다. 잘 살아있길 바라던 네가 어째서 죽음의 통일어가 되어 있는 건지.

진실을 알았을 때, 우현이의 표정 속에서 복잡한 감정들이 자리하고 있다는 것을 알았다. 푸르름에 감정들이 뒤섞여 있는 것 같았다. 나도 모르게 눈물이 흘러내렸다.

공황에 미쳐 힘든 날을 보내던 모든 날을 원망했는데. 지은이가 아닌 우현이 네가 내 삶의 일부였구나. 그런 널 기억도 못한 나를 품었구나. 네가. 너도 아픔에 갇혀있었구나. 행복하길 바랐으면서. 우린, 서로가 가장 아팠을 때 다시 만났구나. 모든 일들은 이유가 있고 우리는 결국 모든 일들의 근원이 되어, 서로를 다시 만날 수 있었다.

낯설지 않던 너의 보조개도 너라서 낯설지 않던 거구나. 네가 점점 좋아지던 이유 또한 백우현이 너라서 그랬던 거구나. 달이 차오르며, 우린 아픔을 달랬다. 오래 머물러 변색된 사진 속에 갇혀있던 너와 나를 보며.

"그럼 나 이제 이안이라고 불러야 해 우현이라고 불러야 해?"

"네가 좋아하던 이름으로 불러."

간단한 질문에 대해 답을 하면 그만이었지만, 어렵게 망설였다.

"이안이랑 유현이…."

"사실상 지금은 이안이니까 이안이로 부르던가. 널 살린 건 최이안이 맞잖아. 과거를 떠올리면 아플 뿐이야."

"아프더라도. 널 택할래. 백우현."

나의 말에 해맑게 웃었다. 우현이는 그때 받았던 생일 선물은 괜찮았는지 물었다. 사실 집을 갔을 때 그 선물들을 열어보지 못했다고 알려주었다. 크나큰 충격해 의해 입원함과 동시에 사건에 해당하던 모든 물건을 가져가 버린 경찰관은 다시 돌려주지 않았다.

"그건 선물이잖아. 그런 것도 들고 가?"

"아니. 내가 아무 말을 안 하니까 혹시 몰라서 들고 간 거야."

당시가 생각나서 웃음이 터져 나왔고 어이가 없었는지 우현이도 나를 보며 웃었다. 해맑게 웃는 모습을 보니 괜히 울컥한 마음이 들었다.

"그러면 그때 읽었던 편지도 지은이가 아니라 네 거였을까?"

"한지은이 편지를 썼을 리가."

"대충 사랑한다. 오래 보자. 이런 얘기였는데."

"내가 쓴 거네."

"나 그것도 기억나."

나의 말에 귀를 기울이며, 무엇을 하고 물어오는 우현이였다.

"항상 곁에서 지켜줄게."

'아!'하고 소리치며 빨개진 귀를 감싸쥐었다. 부끄러운 건지 고개마저 파묻어버린다.

"왜 그래. 부끄러워서?"

고개를 젓는 그였다. 그러면 왜 그러냐며 한 번 더 물어보니 지키지 못할 약속을 했던 저가 떠올라서 그런 거라 얘기했다. 괜히 마음이 먹먹해졌다.

"곁에 있어주지 못했잖아."

우현이의 말에 곰곰이 생각하다, 이내 아니라며 두 귀를 감싸쥐고 있던 손을 포개었다.

"넌 내 생각을 하며 살았고, 나도 네 생각을 하면서 살았잖아. 우린 그 기억 속에서도 늘 함께 있던걸."

코끝이 찡해진 건지 코를 한번 훌쩍였다.

"지은이를 기억한 거지."

"따지자면 전부 네가 보여준 것들이잖아. 바다도, 놀이터도 전부 네가 보여준 세상이었던 거잖아."

우현이는 초점 없는 두 눈으로 나를 바라보았다. 왜 그런 눈으로 나를 쳐다보냐 물으니, 한층 더 가까워진 것 같아서 자기도 모르게 이런 표정들이 지어진다고 말했다.

때 타지 않았던 예전으로 돌아간 것 같아서 행복했다. 수많은 날이 우리 곁에 머무른다. 셀 수 없을 추억의 회로가 다시 가동되는 순간 미친 듯이 타오른다.

함께 다니던 골목길, 함께 나누었던 가지각색의 종잇장, 곁에 머물기를 간절히 바랐던 나날이, 한 치 앞도 모르던 날들을 껴안았다. 다정했던 봄을 지나 뜨거운 여름을 보내고, 둘만의 가을을 보내다 우리는 결국 방황하던 서로를 만났다.

"학교는 다시 안 다닐 거야? 이제 내가 옆에 있는데?"

"집에서 백우현 기다릴래. 너무 빠르게 흐르는 시간 느끼면서 그냥 자퇴 받아들일래."

"아쉽다. 같이 학교 생활할 생각 하니까, 벌써부터 재밌는데."

"너 졸업식 날 내가 꽃다발 들고 가줄게."

"진짜? 엄청나게 기대되는데?"

"벌써부터 김칫국 마시는 거 봐라."

"배 터질 때까지 마실 건데."

혀를 내밀며 장난을 치는 우현이였다. 그에 혓바닥을 잡으려 손을 뻗었다. 뭐하는 거냐며 손을 잡아 오는 우현이를 마주했다. 우리가 영원이 됐으면 좋겠다.

우현이가 해맑게 웃었다. 이쁜 보조개가 나를 반겼다. 신이 사랑을 보여주는 방식이 보조개라면 나도 보조개를 찍고 싶었다. 그만큼 백우현을 사랑했으니까. 얄쌍이 파인 볼을 찔렀다.

"보조개 이쁘지."

더 봐달라는 듯 볼을 들이미는 우현이에 웃음이 터져 나왔다. 그렇게나 웃긴 얘기도 아니고 농담도 아닌데 뭐가 그리 웃긴 건지 계속 웃음이 나오고 우리는 한나절 웃었다.

우현이는 내가 지은이를 원망하고 있는 것 같아 말하기 어려웠다고 했다. 내 이름을 듣고 과거를 듣고 아픔을 아는 순간 자신이 사랑했던 봄하람인 걸 깨닫고 절대 놓아줄 수가 없었다고 했다. 지은이와 닮아있던 모습 전부가 정말 백우현이라 그런 거였다는 게 신기하면서도 안도가 되었다.

"초등학교 졸업할 때도 소문 안 믿었어."

"난 소문 때문에 나랑 연 끊은 줄 알고 또 걱정했다고!"

"야 봄하람, 너한테 백우현이랑 한지은이 그딴 소문을 믿을 애였냐!"

"아니, 누, 누가 그렇대?"

"진짜 나 서운해지려 해. 봄하람 너 진짜. 이리 와!"

달려드는 우현이에 발 빠르게 거실로 도망쳤다.

웃었다. 정말 크게. 정말 행복하게. 세상에서 제일 불공평한 곳에 버려졌다고 생각했는데. 세상이 아무리 불공평하더라도 우현이는 내게 돌아올 수 있었구나. 우린 다시 만날 수 있었구나. 싶었다.

그가 정말 열 살의 우현이었다는 것을 안 순간부터 무척이나 편해졌다. 어색함 없이 서로에 대한 거리낌 없이 우리는 부딪치고 치고박고 끌어안다가 입을 맞추고 서로를 탐했다. 나의 모든 공황을 먹은 네가 내 구원이라 다행이었다.

"자퇴하기 전에 지민이라는 여자애랑 경우라는 남자애가 있었는데. 걔네 둘이서 나 엄청 많이 챙겨줬어."

"아는 사이였어?"

"그건 아니고, 처음엔 복도에서 만났었어. 우연히. 딱 한 번이었는데 쓰러진 나를 숨겨줬거든. 입고 있던 마이 벗어서 가려주고, 구경이라도 나온 애들한테 복도 한복판에서 다 꺼지라면서 소리쳤었어."

"진짜? 나 전혀 몰랐는데."

"그때도 남한테는 관심도 없었나 보지."

"그런가. 생각해 보면 걔네도 보통이 아닌 애들이네."

웃음을 짓는 우현이에 함께 웃었다.

지민이랑 경우도 잘 지내려나. 마지막 내가 자퇴하는 날까지 나를 찾아왔었다. 잘 지내라며 주던 초콜릿을 경우와 지민이 앞에서 바로 까먹었다. 작은 초콜릿 하나가 너무 달고 달아서 두 눈이 찌푸려졌다. 그들의 행동이 어렵게 내밀었을 손을 알아주지 못해 미안했다.

"그러고 정문에서 날 만난 거야?"

"응. 그렇게 널 만났었지."

"인연이라는 게 정말 존재하나 봐."

한 호흡으로 숨을 내뱉으며 지난 8년을 돌아봤다. 깊은 아픔과 때로는 행운이 공존하던 날들이 스쳐 지나갔다.

✧

장난식으로 시작한 버킷리스트 종이는 어느새 빼곡한 글자로 채워져 있었다. 세상에 웃음소리로 가득 찰 정도로 함께 웃으며 행복한 나날을 보냈다. 정말 평범한 사람들처럼 해맑게 서로를 끌어안고 행복한 미소를 짓는다.

어제는 함께 보고 싶다던 가을 바다를 보고 왔다. 가을 바다는 선선했고 계절에 따라 보이는 바다는 똑같았지만, 우리의 눈에 들어오는 바다는 항상 달랐다. 어떤 날은 잠잠하고 어떤 날은 저 끝 바위 위에서까지 들릴 정도로 큰 소리를 내며 파도가 휘몰아쳤다. 예쁜 코트를 맞춰 입고 모래성을 쌓았다. 무너져 내리는 성을 보며 실없이 웃음이 터져버렸다.

"물도 있어야 모래성이 안 무너지지."

우현이는 바다 쪽으로 다가가 두 손으로 바닷물을 떠왔다. 고인 바닷물은 흘러내렸고, 도착했을 땐 그저 두 손을 모으고 있는 우현일 뿐이었다.

"바보야. 물이 있어야 모래성이 안 부서지는 걸 알면서. 물이 흐르는 건 모르냐."

"알고도 해본 거야. 봄하람 네가 떠오던가."

두볼 가득 들어간 공기를 보며 헛웃음을 터트렸다. 바다 곁으로 다가가 손에 바닷물을 담았다. 모래를 적셔오는 얕은 바다가 신발을 적셔왔다. 찝찝했지만 굴하지 않고 손에 바닷물을 담았다. 차가웠다.

"봄하람. 너 무슨 생각해."

"별 생각 안 하는데."

"쫄리게 바다에서 그렇게 가까이 있냐. 이쪽으로 와."

"언제는 나보고 떠오라며."

우현이의 말에 웃으며 뒷걸음질했다. 쭈그려 앉아 바다를 감상하곤 모래 위에 이름을 적었다.

봄하람과 백우현이라는 뻔한 내용의 이름을 적었다. 우현이는 바닥에 쓰인 이름을 보더니, 왜 그렇게 적냐며 타박했다. 이유를 모르던 나는 왜 꾸중하냐 물었고 우현이는 바닷물 때문에 지워지지 않냐며 다시 이름을 적으려 했다.

"됐어. 한번 적었으면 됐지."

우현이의 손을 막으니 못마땅한 표정을 지었다. 일렁이는 파도가 몇 번을 오가고 내 이름은 지워졌다.

"봐, 지워졌잖아."

"어쩔 수 없는 거지."

나의 말에 우현이는 짜증 난다며 뒤돌아 가버렸다. 입술을 삐죽 내민 채 가는 우현이를 따라갔다. 엉덩이를 토닥이며 이걸로 왜 삐지냐 물었다.

봄하람은 지워지고 남은 건 백우현이었다. 크게 의미를 부여하지 않았다. 거센 파도가 더 오가거나 사람들이 지나가면 백우현이라는 이름도 지워질 테니까. 크게 신경 쓸 문제가 아니었다.

"원래 저런 건 다 그냥 쓰는 거잖아. 무슨 의미를 그렇게나 들여. 그러면 백우현 너만 힘들어."

우현이는 됐다며 끝까지 볼에 공기를 집어넣었다. 뒤에서 본

볼은 귀엽게 튀어나와 있었다. 귀여운 볼을 물었다. 아프다며 놓으라는 우현이의 말을 웃어넘겼다. 우현이도 웃긴 지 악어냐며 드디어 미소를 지었다. 어리광을 부리니 금방 풀리는 백우현이 조금은 웃겼다.

“우리 사진도 찍자.”

나중에 보면 아플 수도 있는 흔적을 남겼다. 시시콜콜한 영화를 보고 사진을 찍으며 한 장의 사진에 둘을 담았다. 언젠가는 웃는 모습이 드러나 있겠지. 미소를 곳곳에 심어둘 수 있겠지. 평생 간직할 수 있겠지. 괜한 생각을 떠올려봤다.

빛이 들어오고 우리는 빛을 향해 나아갔다. 가끔은 이 밤이 그리워서 밤에 머물곤 했다. 잠깐의 밤공기가 우리의 염원을 말해줄 것만 같아서. 함께 발자국을 남겼다.

어둠 사이 고요를 뚫고 밝은 빛으로 우리를 비춰오는 가로등을 바라봤다. 빛 사이로 하람이의 목소리가 귓가를 스쳤다. 목소리를 들으며 시선을 돌리니 해맑게 웃는 하람이가 눈에 들어왔다. 아름다운 온화함.

하람이의 미소는 온화함을 닮았다.

그녀의 입꼬리를 사랑해서. 계속 웃게 해주고 싶었다. 이것마저 잃게 된다면, 좋았던 우리마저 잃을까 봐 두려웠다.

“하람아 별 많이 떴다.”

"그러니까. 근데 너 내 말은 듣고 있는 거야? 자꾸 그런 표정으로 쳐다보기만 하고."

"그런 표정? 그런 표정이 어떤 표정인데?"

하람이는 눈을 게슴츠레 뜨곤 나를 바라보았다.

"사랑에 빠진 표정."

해맑게 웃는 하람이가 예뻤다.

"장난이야, 장난."

잠깐의 정적이 흘렀다. 사랑에 빠진 표정이 어떤 표정인지 알 수 없었다. 평소처럼 아무 의미 없이 짓고 있었던 것 같은데, 사랑에 빠졌다고? 의문이 들어 하람이를 쳐다보니 목을 가다듬는 모습을 볼 수 있었다.

"사실, 나는 아직 사랑을 잘 몰라."

어지럽혀진 밤. 차가운 공기를 들이마시며, 애탄 사랑을 찾아 그녀를 바라봤다. 하람이한텐 이 말이 어떻게 들릴지 모르겠지만 하람이가 미소를 지을 때면 사랑이 느껴졌다. 표정에서 사랑이 무엇인지 알 수 있었다. 자꾸만 영원을 말하고 싶어졌다.

"사랑은 그때 네가 보여줬던 게 사랑인데."

"내가 사랑을 보여줬다고?"

"응."

동그랗게 뜬 두 눈을 더 크게 뜨는 하람이를 보니 웃음이 새어 나왔다. 완전히 모르겠다는 표정으로 나를 바라보는 그녀가 너무나도 이뻤다. 하람이는 알까. 자신이 얼마나 사랑스러운지.

"내가 언제 사랑을 보여줬는데? 나는 아직 사랑에 대해 아는 게 별로 없어. 아, 하나 있다. 너 좋아하는 거?"

장난이란 걸 알고 있었다. 짓궂게 웃는 하람이의 코를 꼬집었다. 곰곰이 생각하다 좀전의 말을 이었다.

"전시회 갔을 때 말이야."

"전시회?"

"사람을 무서워하는 네가 나를 위한답시고 너 생각은 안 하고 무작정 편의점으로 달려가려 했잖아. 그것도 괜찮아지던 단계에 머물고 있었는데도 말이야. 그게 사랑이라고 생각해. 사랑하지 않으면 나오지도 않는 용기야."

"공황이 자주 오던 때…."

사랑을 입에 담곤 한참 동안 나를 봤던 것 같다. 하람이는 무얼 생각하고 있는 걸까. 복잡함이 묻어나는 하람이의 표정을 보고서 쓴웃음을 지었다.

"아니면 말고. 내가 아는 사랑은 그거야."

머쓱해지는 마음에 괜히 뒷말을 덧붙이며, 하람이의 손을 이끌었다. 끌려오는 하람이가 멍청한 곰인형 같아서. 볼을 잡아당겼다.

"뭐 하는 거야."

"그냥. 좋아서."

"하여튼 백우현."

어느새 하람이한테 백우현이 익숙해져 있었다. 초등학교 때 말하던 '하여튼 한지은'은 '하여튼 백우현'으로 바뀐 지 오래였다. 실수로도 지은이라는 이름을 부를 줄 알았으나, 하람이는 더 이상 지은이를 부르지 않았다.

"내가 무슨 말 할지 알지."

"음…. 바보 같아?"

"응. 바보스러워."

하람이는 깔깔대며 웃었다. 두 손을 포개어 잡아 왔다. 서로를 보며 달밤에 행운을 빌었다. 어떤 말로 표현해야 할까. 이 밤을 어떤 단어로 나열해야 할까. 어떤 단어로 치장해야 우리가 될 수 있을까. 어떤 말을 덧붙여야 사랑을 빌 수 있을까. 자꾸만 네가 떠오르는데 어떻게 해야 하지. 너무나도 이쁜 너를 데리고 어떤 세계를 보여주어야 하지.

"우현아 우리 행복이 영원할 것 같아."

"영원할 거야. 하람아."

네가 보여준 게 정녕, 사랑이 아니었대도. 나는 널 사랑할 것 같은데. 사랑에 사무쳐 너를 떠올릴 것 같은데.

바다가 파도에 휩쓸려

방 안으로 들어오는 햇살을 맞으며 자리에서 일어났다. 바닥에 떨어져 있는 이불을 끌어다가 제자리에 돌려두었다. 기지개를 켜곤 우현이를 찾으니 집안 어디에도 없는 것 같았다.

"나갔나?"

손에 들린 휴대폰을 소파로 던졌다. 작은 소음을 내며 사라져 버린 핸드폰을 뒤로한 채 부엌으로 가 물을 한 잔 마셨다. 목 넘김이 시원찮았지만 대수롭지 않게 생각하며 물을 마셨다.

우현이가 없으니, 집이 너무 조용했다. 이것도 적응된 줄 알았는데. 곧바로 티비를 틀었다. 미디어 소리가 조용하던 집 안을 메웠다.

"볼 거 없나."

한창 티비 채널을 넘기다가 한 채널에서 멈춰 섰다. 뉴스 채널. 세상은 잘 돌아가고 있나. 퉁명스러운 말투로 채널을 보다가 허리가 아파 소파에 몸을 뉘었다. 그때 눈에 들어온 포스트잇 한 장이 있었다. 우현이답게 메모지를 남기고 갔다. 메모지에 적힌 내용은 편의점을 갔다 오겠다는 내용이었다. 별 대수롭지 않게 여기며, 다시 티비로 시선을 돌렸다.

"보고 싶다."

티비를 보다가도 생각나는 우현이에 무의식적으로 뱉은 말이었다. 안 보면 보고 싶고, 볼수록 아름답고 청화한 백우현. 이런 게 사랑일까. 분명 엊그제까지만 해도 서로 얼굴에 낙서하던 어린이 같은데. 결국 너를 사랑하게 된 걸까.

기가 빨려 한숨을 내쉬었다. 두 눈을 붙이니, 검은색의 세상이 보였다. 우현이 없던 내 세상의 모습이었다.

언제 오려나. 지루하다. 못해 힘이 들어갈 때쯤, 티비 소리가 귀속을 파고들었다. 평소와는 다른 내용의 아침뉴스가 떠들어댄다.

[8년 전, 아동을 살해했던 부모….]

봄윤이라는 이름에 급하게 화면을 향해 고개를 돌렸다. 8년 전 내 세상에서 사라졌던 그가 보였다.

[파랑교도소에 수감 중이던 봄윤 수감자가 오늘 오후 2시경에 탈옥을….]

탈옥했다고? 이제 와서? 하필 8년이 지난 지금. 탈옥했다는 말에 손이 떨려왔다. 나를 찾아오면 어떡하지. 순식간에 과거에 몰락되어 꼼짝도 할 수가 없었다. 많이 나아진 것 같았는데. 최근 한 번도 일어나지 않았던 공황발작이 또 일어날까 무서웠다. 온몸이 떨려오고 숨이 가빠졌다. 떨리는 두 손을 붙잡곤 숨을 고르게 쉬려 호흡했다.

"혹시 나를 찾아오려는 거라면…."

[근원과 위치는 아직 밝혀진 바 없으며….]

안 좋은 생각이 나를 덮쳐왔다. 이래선 안 되는데. 당장 집으로 가야 했다. 소중한 것들을 챙겨 그에게서 도망쳐야 한다. 그보다 일찍 도착해서 모든 것들을 지켜내야 했다.

[위치는 아직 추적 중이며, 어린아이들의 경우 보호자분께서 신속히 보호해 주시길….]

누구에게 쫓기듯 뒤 한번 돌아보지 않으며 빠르게 집을 향해 달렸다. 지켜내야 할 것들이 너무 많아졌다. 남은 나의 모든 것을 빼앗기는 건 용납할 수 없었다. 행복과 모든 행운이 또다시 아득하게 멀어져 가는 것 같았다. 정말 행복이란 건 어렵다.

좁은 골목을 지나, 작은 문구점을 지나, 우리가 머문 추억을 지나 허름한 집 앞에 도착했다.

숨을 헐떡이며 두 눈을 감고 빌었다. 아무도 없기를. 신이 나의 편이기를, 세상이 아직 나를 버리지 않았기를 낡은 초록색 대문이 나를 맞이해주고 서서히 열렸다. 조심히 집으로 발을 내디뎠다.

믿지도 않는 신을 나열하며 빌었다. 구태여, 세상에 나타나지 말기를.

소원의 유리병

새하얀 겨울이 방황하는 우리를 찾았다.

“하람아 잠시 쉬고 있어. 편의점 갔다 올 테니까.”

우리가 함께한 날은 생각보다 길었다. 봄, 여름 그리고 가을, 오지 않을 것 같던 겨울. 그리고 반복되던 사계절이 지나가고 또다시 봄. 따스한 계절, 봄이 오고 있었다. 옆에 있는 하람이의 머리칼을 정리해 주었다.

“아직도 넌 어린 티가 많이 나는 것 같아.”

하람이가 말을 들었을지 모르겠지만 말을 들었다면 조금이나마 더 성숙해지길 바랐다. 지금이 싫어서가 아니라 지금을 잃기 싫어서. 창문 사이로 들어오는 찬 바람에 떨어져 있는 이불을 끌어 하람이에게 덮어주었다.

따스한 온기를 느낀 탓인지 베개에 얼굴을 파묻었다. 곱게 잠

들어 있는 하람이를 눈에 담곤 편의점으로 향했다. 전날 아침에 그저 샌드위치면 된다던 하람이의 말에 바로 편의점으로 걸음을 옮겼다.

쌀쌀한 날씨에 패딩 지퍼를 잠갔다. 추운 날씨 탓에 곧 지구가 멸망할 것 같았다. 잽싸게 편의점으로 들어가 정말 먹을 것들만 따로 구매했다.

하람이가 좋아하는 초콜릿도 사고, 먹고 싶다던 샌드위치도 사고, 종류가 많아서 고르는 데 생각보다 오래 걸렸던 것 같다. 진열돼 있는 남은 샌드위치 2개까지 쓸어 담고서야 만족할 수 있었다. 하람이가 먹고 좋아할 생각 하니까 웃음이 나왔다. 얼마나 좋아할까.

"이렇게 계산해 주세요."

하람이를 볼 생각에 들떠 집을 향해 달렸다. 추위에 빨개진 손을 달래며 집을 향해 뛰었다. 찬 바람을 스치는 얼굴은 별거 아니었다. 잠깐 스치고, 잠깐 아프고, 잠깐 추울 뿐이었다. 어떤 말로도 표현할 수 없는 이 기분을 찬바람이 망가트릴 순 없었다.

"총각! 무슨 일 났어? 뭘 그렇게 뛰어가. 아이고, 발은 또 무슨 일이래. 이 날씨에 무슨 슬리퍼를 신어!"

마루에서 숙덕이는 아주머니를 보며 웃음을 지었다.

"무슨 일이 나긴 했죠…."

잔소리와 꾸중은 들리지 않았다. 딱히 듣고 싶지 않았다. 그냥 하람이가 너무 보고 싶었다.

동네 분들은 나의 꼴을 보며 웃었다. 슬리퍼에 대충 걸친 패딩을 보고 까치집이 된 머리를 보며 웃어댔다. 신종 관종법인가 싶어 끝까지 미소를 잃지 않으며 미친 듯이 웃어주었다. 통하긴 했는지 나중에 돼서는 조용해진 아줌마들이 웃겼다.

현관 비밀번호를 누르고 막연히 들려오는 티비소리에 웃으며 신발을 벗어 던졌다.

"하람아!"

집안 곳곳에 우렁찬 목소리가 울려 퍼졌다. 큰 목소리에도 티비소리만 들려와 자고 있나 싶어 신발을 벗어내곤 허둥지둥 거실로 향했다. 아무도 없는 거실이 눈에 들어왔다. 화장실을 갔나 싶어 이리저리 둘러보며 하람이를 불렀다.

어디 간 거지? 아무 소리도, 모습도 보이지 않았다. 정말 어디로 사라진 거지. 혹여나 작게 써둔 메모지를 못 본 건가 싶어 거실 탁자로 눈을 돌리니, 올려두었던 메모지는 제자리에 있지 않았다. 사라진 걸 보면 메모지를 읽었다는 건데….

한참을 당황한 상태로 사방을 헤매었다. 거슬리는 뒷머리를 긁적이며 현관으로 고개를 돌렸다. 혹시나 하고 들여다본 신발장에는 하람이의 신발이 없었다. 그제야 하람이가 사라졌다는 걸 알게 되었다. 급하게 하람이에게 전화를 걸었다.

띠리링-

소파 사이에서 전화음이 들려왔다. 작게 들리는 알림 소리를 따라 파묻혀 있던 핸드폰을 구석에서 꺼내 들었다.

“핸드폰도 두고 어디를 간 거야….”

이게 무슨 일인지. 감도 안 잡혀 얼굴을 일그러트렸다. 우리가 함께한 계절 사이에 이랬던 적이 한 번도 없었는데. 폰도두고 어떠한 쪽지도 없이 사라져 버렸다. 잠깐 바람을 쐬러 나간 건가 했지만, 내가 나간 걸 알면서 하람이가 나갔을 리 없었다.

도통 감이 잡히지 않아 불안한 마음이 들기 시작했다. 티비 소리가 거슬려 전원을 끄기 위해 리모컨을 찾았고, 리모컨은 또 어디로 간 건지 보이지 않았다.

복잡한 상황 속에 침착함을 유지하기에 어려웠다. 도저히 보이지 않는 리모컨에 티비로 걸음을 옮겼다. 티비를 끄기 위해 밑으로 손을 뻗었다. 막상 끄려 하니 도통 버튼이 보이질 않아서 한참을 헤매었다. 손을 더듬으며 버튼을 눌렀고, 전원 버튼이 아니었는지 채널이 돌아갔다. 갑자기 커진 소리에 고개를 들다 티비에 머리를 박았다.

“아, 아니 이게 왜….”

[7년 전 아동학대를….]

우연히 돌아간 채널 위로 익숙한 얼굴이 보였다. 잘못 본 건가 하며 두 눈을 비볐다. 손에 묻어난 먼지가 눈가로 번졌다. 한때 어린 나를 웃게 해주던. 웃음을 나눠주었던 사람. 하람이에겐 아픈 기억된 사람이 보였다.

“하람아.”

모든 것들이 맞춰지고 곧장 하람이를 찾아 나섰다. 왜 이 생각을 하지 못했지? 내가 가증스럽게 느껴졌다. 하람이가 극단적인 선택을 하지 않았으면 하는 바람이 생각났다. 눈이 따가워서인지 불안감에 휩싸여서인지 눈에 눈물이 고이기 시작했다. 쓰린 눈가를 쓸어가며 눈물을 삼켜냈다.

하람이가 죽은 것도 아닌데. 날 떠난 것도 아닌데. 왜 자꾸 눈물이 나오지. 숨을 고르며 모퉁이에 있던 문구점을 지나쳤다. 초록색 대문이 어영부영 걸쳐있었다. 오만가지 생각이 들어찼다. 하람이가 있길 바라는 마음으로 익숙한 대문을 열고 들어갔다.

엎질러진 항아리와 볼품없이 깨져있는 화분과 지저분한 마당. 보자마자 깨달았다. 하람이와 그의 아버지는 이미 왔다 갔다는 걸. 이미 집을 떠났다는 걸. 동아줄이라도 잡아보자는 심정으로 급하게 집을 들어섰다. 밖에선 보이지 않았던 깨진 유리 조각이 난무하는 창문과 하람이와의 추억이 박살이나 있었다. 부서진 조각을 보니 참아오던 눈물을 참을 수 없었다.

우리의 추억과 기억이 이렇게나 더럽혀졌구나. 이전의 사랑으로 다시 돌아가는구나. 바닥에 떨어져 있던 사진 한 장을 집어 들었다. 볼품없게 찢어진 사진. 순수한 아이처럼 웃고 있는 5살의 봄하람. 하람이의 가족사진이 샅샅이 흩어져있었다. 마치 우리를 보여주듯이. 찢긴 사진을 주워 들곤 집에서 나왔다.

무슨 일이 있어도 하람이를 지켜내야 했다.

나의 모든 추억과 기억이 하람이 너에게 깃들었기에.

집에서 나와 하람이가 있을 법한 곳을 뒤지며 동네를 뛰어다녔다. 이리저리 곳곳을 누비며 하람이를 찾았다. 다시는 없을 너라는 바다가 파도에 휩쓸려간 건 아닐까. 부정적인 생각만이 계속 떠올랐다. 정말 그런 거라면 나의 일부가 된 너를 흘려보낼 수 없을 것 같은데.

"이건 또 뭔데."

손에 들린 유리병을 손짓하며 준혁이는 인상을 썼다. 작은 유리병 안에는 작게 써진 소원 종이가 담겨 있었다.

"옛말에 그런 말 있잖아."

"너 이런다고 봄하람이 돌아올 수 있는 게 아니라니까."

준혁이는 신경질적으로 말을 끊으며 손에 들린 유리병을 채갔다. 그런 행동에도 아무런 감정 없이 말을 이었다.

"종이학 천 마리 접으면 소원을 이루어준다는 말."

"그게 지금 네가 이러는 거랑 무슨 상관인데!"

꾹꾹 참아오면 화를 내지르며 울상을 지었다. 이런 모습의 준혁이를 봐도 마음은 흔들리지 않았다.

“소원의 유리병을 바다에 흘려보내면 소원이 이루어진대.”

“그래서 유리병에 종이를 넣고 있는 거고?”

“응. 확실한 방법은 이거뿐이야.”

“종이학도 이 짓거리도 전부 미신이잖아. 이럴 거면 차라리 종이학을 접어라. 왜 또 바다에 가겠다는 건데.”

준혁이의 손에 들린 유리병을 잡았다. 휑한 유리병에 마개를 끼우며 자리에서 일어났다.

“바다를 도대체 왜 못 가서 안달인데!”

고조된 분위기에 숨을 몰아 내쉬었다.

“그 애가 바다를 너무 사랑해서.”

내 말을 들은 준혁이는 악을 질렀다. 옷소매를 잡아끌고 끝까지 가지 말라며 소리치는 준혁이에 한숨을 내쉬곤 잡은 손을 떼어냈다. 마음이 좋지 않았다.

“너 지금 바다가는 순간 나까지 잃는 거야.”

두 동공이 떨리며 마주한 얼굴은 엉망진창이었다. 지친 목소리가 가엽게 느껴졌다. 준혁이의 마음을 이해 못 하는 것도 아니었다. 알면서도 쉽게 입이 떼어지지 않았다.

“제발 그만하자. 하람이 괜찮을 거야.”

준혁이의 말처럼 소원유리병이 소용이 없다는걸 알았다. 떨리는 목소리로 붙잡는 준혁이가 정말 마지막이 될 수 있단 걸 알았다. 혹시 하는 가잖은 마음 하나에 모든 것을 잃는대도 바다에 가고 싶었다.

하람이를 살리겠다는 마음 하나로 고작 작은 유리병에 흘러넘치는 소원을 담았다. 이루어졌더라면 이미 세상 사람들 모두가 유리병에 소원을 담았을 텐데.

네가 떠내려가는 흔한 조개껍데기더라도 나는 너를 찾을게. 내가 너를 찾을 테니까. 제발 살아만 있어 줘. 흘러가는 작은 조개껍데기처럼, 모래사장에 숨어있는 소라처럼. 내가 너를 찾았던 것처럼. 또다시 너를 찾아낼 테니까. 우리 함께하자. 살아줘. 제발 살아줘.

잔잔히 불어오는 바람처럼. 그을리던 바다의 물결처럼.

여름날의 레몬 향처럼. 선선히 불어오던 가을 바다처럼.

전파된 우리의 사랑은 격랑 되어서. 부디 앞으로의 미래 끝으로 언제나 함께이길. 너를 찾기 위해 목이 터져라 외치고 싶은 마음을 말하고 싶었어.

하람아. 이 한마디를 너무나도 외치고 싶었는데. 세글자를 한 번만이라도 뱉을 수 있다면 너를 하루빨리 찾을 수 있을 것 같았는데. 혹시라도 나의 부름에 그 사람이 먼저 너를 찾아낼까 시도조차 할 수 없었어.

조금 늦더라도 너를 찾을게.

네 말이 닿을 수 있게 나를 불러줘. 하람아.

D + ?

하람이를 찾아다니는 날이 길어질수록 내 안의 불안이 커졌다. 하람이가 나를 향해 안 돌아오면 어떡하지? 언젠가 다시 만나면 우리는 서로를 알아볼 수 있을까. 그리움은 남았지만, 우리는 우리가 될 수 있을까.

너를 찾아다니며 발 곳곳에는 멍이 들고 뉴스는 그 사람의 행방으로 가득 찼는데. 지금 우리가 달라진 게 뭘까. 악화된다면 더 악화된 상황에 나는 너의 구원으로 너는 나의 바다로 돌아갈 수 있을까.

띠링-

✉ 준혁

[백우현 진짜 무슨 일 있는 거 아니지?]

준혁이의 연락은 쌓여가고 어느새 방학을한 건지 계속해서 오던 선생님의 전화와 문자는 잠잠해졌다. 신경을 쓸 겨를이 없었다.

이런 나를 그들이 우습게 본다 해도 내일 당장 이 지구가 멸망해 버린대도 나는 하람이를 먼저 찾아야 했다. 지켜주기로 약속한 하람이의 손을 놓을 수 없었다. 우리는 영원을 약속했고, 서로를 위해 죽음까지 오갔으니. 나는 절대 비겁해지지 않으리라 다짐했다.

내 세상이 되어버린 그 애를 찾아야만 했다. 잃어버린 내 세상을 찾아야 했고, 내 삶의 근원을 돌려두어야 했다. 내 삶의 방식이자, 새 삶의 숨통. 유일한 나의 안식처를 되찾아야 하지 않겠는가. 불안은 나를 고독하게 만들었으며 창밖엔 하얀 눈이 내리기 시작했다.

내일이면 하람이가 사라진지 한 달이 되어 가는 날이었다. 쓸모없게 여기던 달력은 어느새 빨간 줄이 이어져 있었다. 나의 모든 것들은 말라가는데 그동안 겨울이라는 계절은 선명해졌다.

하람이가 없는 이 밤은 춥고, 춥고, 추웠다. 외로운 밤이 내게 선뜻 찾아왔다. 덜컥 우울을 마신 것만 같았다. 함께 꾸던 꿈을 끌어안고 하루를 살아갔다.

매일 눈이 빠져라 뉴스를 보다가도 하람이를 찾으려 밖을 나갔다. 뉴스 내용은 매번 그 애의 아버지를 열심히 추적하고 있다는 내용과 조심하라는 내용뿐이었다.

실종된 하람이의 대한 뉴스는 따로 보도되지 않았다. 나는 이렇게나 열심히 찾고 있는데. 내 전부인 그녀는 세상의 전부가 아니었다.

숨바꼭질 상사화

장난감이 시시해졌을까. 신은 나의 편이 되어주지 않았다. 눈을 떴을 땐 집이 아닌 지하인 것 같았다. 녹이 슨 냄새가 코를 찔렀고 다시는 보지 않을 거라 다짐했던 아빠가 내 눈앞에 앉아 있었다.

"람아. 잘 지냈지?"

그의 말 한마디에 온몸에 소름이 돋았다. 어릴 적 나를 부르던 애칭으로 나를 불렀다. 목소리를 내리깔고, 무거운 분위기로 나를 휩쓸었다. 천천히 나를 쳐다봤다. 두려움에 침을 삼키며, 떨리는 몸으로 그와 눈을 맞추었다.

"아빠가 하람이가 너무 보고 싶어서. 데리러 왔어."

자리에서 일어나 옷매무새를 정리하는 그였다.

옷에 묻어있던 먼지를 털어내며 나와의 거리를 좁혔다. 빠져나갈 수 없는 구렁텅이에 제대로 빠진 것 같았다.

"람이도 아빠 많이 보고 싶었지? 도저히 견딜 수가 없어서 하람이 보러 온 거야."

하람아.

낮게 읊는 나의 이름에 역겨움이 쏠렸다. 눈물이 떨어졌고, 두려움에 짓눌린 나는 아무 말도, 행동도 할 수 없었다.

"왜 우는 거야? 내가 뭘 했다고?"

어이없다는 듯 코웃음을 쳤다. 그는 나를 묶어두곤 뭐가 좋은지 계속해서 실실 웃어댔다. 아빠가 감방에서 나오면 죗값은 달게 받고 나온 것인지, 하루에 대한 미안한 마음이 드는지 제일 먼저 물어보고 싶었다. 그런데 아빠라는 이 사람은 전혀 미안한 마음도 죄에 대한 뉘우침도 없어 보였다.

"당신은, 정말…. 미쳤어."

입 밖으로 내뱉은 말에는 힘이 없었다. 목에선 쇳소리가 들렸다. 갈라지는 말에 기침했다. 무슨 짓을 한 건지 목소리가 나오질 않았다.

"람아, 누가 누굴 보고 하는 소리야."

"탈옥은 왜 한 거야? 뭐가 달라지는데."

"내가 왜 너네 때문에 빵에서 10년을 썩어야 해."

"그게 왜 우리 때문이야. 당신이 자처한 일을."

"이야, 봄하람 몇 년 사이에 곱게 미쳤나 보다."

"미친 건 당신이라니까 뭔 헛소리야."

그는 나를 보며 이를 바득바득 갈았다.

“너 요즘 행복하지? 미치도록 행복하지?”

“당신 때문에 다 망했어.”

그는 기분이 좋은지 웃어댔다. 조금 전에 화를 내던 사람은 어디로 갔는지 해맑게 웃었다. 검은색 가방을 들어 올려 종이를 꺼내 들어, 내 앞에 던졌다.

“아까 네가 찾던 것도 이거지?”

눈가가 따가워 몇 번이고 껌뻑였다.

눈앞에 보이는 종이는 내가 찾던 그림이었다.

“그걸….”

“그러게, 미쳤다고 거길 기어들어 오냐? 내가 갈걸 알고 있었을 거 아니야.”

구겨져 버린 그림을 보며 눈물을 머금었다. 이 사람이 올 걸 알면서도 집으로 뛰어갔던 이유. 큰 건 바라지 않았다. 우현이가 주었던 윤슬 그림과 하루의 마지막 사진을 찾으러 불 속으로 뛰어든 거뿐이었다.

“정신 차려. 람아, 네가 빠져나갈 수 있을 것 같아? 여기를 누가 구하러 올 수 있을 것 같아? 널 구하겠다고 여기를?”

바라지도 않는다. 누군가가 나를 찾아주길 원하는 건 내가 잘하는 일이 아니었다. 악을 깡으로 버텨서 내 힘으로 빠져나갈 것이다. 몇 년 동안 엮였던 일을 기회가 되었다는 생각으로 마무리할 것이다. 고통에 부르르 떨며 그의 손길을 받아냈다.

“갇힌 이상 못 나가. 봄하람, 못 나간다고.”

그에게서 벗어나기 위해 움직이지도 않는 몸에 힘을 주었다. 이대로 있다간 나는 아무도 모르는 채 죽어가게 될 것이다. 가쁜 숨을 내쉬었다. 그는 나의 입을 막아왔고, 극심한 두통에 눈앞이 흐릿해져 갔다.

"이러면 아빠는 덜 억울할 것 같아. 하람이 잘 참을 수 있잖아. 그렇지?"

말에 어떠한 감정도 느껴지지 않았다.

도망가야 해. 빠져나가야 해.

"8, 8년만에 나타나서 이게 무슨 짓이야."

버벅거리며 떨리는 목소리에 힘을 실었다. 그에겐 그저 같잖게 느껴진 건지. 세상이 떠나가라 또한 목이 터져라 웃는 그였다. 그 모습이 익숙하지 않아서 어둠의 벽이 생긴 것 같았다. 점차 괜찮아지고 있었는데 이를 만나니. 나는 볼품없던 10살의 나로 돌아갔다. 그동안의 노력이, 나의 구원이 이를 만나는 순간 아무 의미가 없다는 걸 깨달았을 때 처참함이 나를 덮쳐왔다.

배를 부여잡으면서까지 세상이 떠나가라 웃던 그는 눈에 맺힌 눈물을 닦아내며, 우습다는 듯 내게 말을 걸어왔다.

"그래. 네가 말하는 그 8년. 내가 썩었던 8년을 네가 뭘 안다고 함부로 말해. 람아, 하루 네가 죽인 거야. 내가 깜방에 들어갔다고 내가 죽인 것 같아?"

그의 말에 마지막 남은 희망까지 무너지는 것 같았다.

"내가 끝까지 모르는 채 살 것 같았어? 하루가 마지막으로 보낸 연락 안 봤잖아. 안 본 건 너야. 네가 죽인 거라고."

아니라고 생각해도, 그가 한 짓이라고 생각해도. 몇 년을 후회했기에 마음이 아려왔다. 아픔을 건드리는 그의 말에 나는 어떠한 반박도, 동요도 할 수 없었다.

나 또한 하루를 죽였다고 생각했으니까.

하루는 내가 죽인 거나 다름없었으니까.

입안 가득 찬 침을 삼켰다. 비릿한 쇠 맛이 느껴지고 넘어오는 침은 목을 따갑게 스쳐 지나갔다.

"그때 당신이 술을 마시지만 않았어도, 끝까지 엄마를 말렸어도, 우리 가족이 이렇게까지 망가질 일은 없었어. 나는 당신을 원망하고, 이제 그런 말에 넘어가지 않아."

홀로 고독 속에서 악착같이 버티며 살아온 거뿐이었다.

당신이 나를 그렇게 세뇌해도, 나라는 사람의 가치관이 뚜렷해져서. 당신이 없는 세상에서 너무 많은 걸 배워서 구분할 수 있었다. 당신이 아는 10살의 봄하람이 아니었다.

"등신 같은 년."

말이 길어질수록 그의 압박은 심해졌다. 점점 가해지는 손의 압력에 어깨가 저리며 손목까지 아려왔다. 지금 내가 두려운 건 가장 소중한 나의 모든 것들을 빼앗길 것 같은 두려움과, 과거로 돌아갈 내가 무서웠다.

아무리 예전의 내가 아니라고 한들 그의 말 한마디에 자꾸 흔들렸다. 화가 난다며 무턱대고 칼을 들이밀어도 전과는 다른 나는 지켜내야 할 게 있었다.

온몸을 받쳐 사랑을 주었던 구원에 대한 대가를 지켜내야 한다.

"안 잡힐 것 같아요?"

그의 얼굴에 피가 섞인 침을 뱉었다.

"당신은 늘 똑같고 늘 한결같아요."

비웃음과 함께 그의 폭력이 시작됐다. 인정사정없이 발길질하는 그에 의자가 뒤로 엎어지며 몸에 큰 충격이 왔다. 두손 두발 모두 묶인 채 그의 폭력을 받아내야 했다. 복통과 두통이 한꺼번에 몰려오고 힘껏 밟힌 엄지손가락은 욱신거렸다. 손끝에서 뼈가 부러지는 느낌이 들었다. 큰 고통에 몸부림치며 손을 구부리니 점점 더 부어오르는 손가락이 보였다.

눈을 힘껏 감고 이를 꽉 깨물었다. 내 몸이 망가져 가는 게 느껴질수록 하루의 모습이 스쳐 지나갔다. 작고 왜소한 하루가 당했을 보복이 끔찍하다. 과거에 더 이상 얽매이기 싫은데. 과거와 닮아가고 있었다.

저릿한 고통이 지나가면, 나는 어제와 같은 모습으로 돌아가면 된다. 우현이에게로 돌아가 아픔을 겪어본 적도 없었던 사람처럼. 우리의 일상으로 다시 돌아가면 될 거야.

잠시 고통을 약으로 삼아 잠에 들었다가 깨어나면. 나는 돌아갈 수 있을 거야. 하루를 위해 이 사람을 다시 처넣고, 아늑했던 우현이에게로 돌아갈 거야.

2025년 1월

처음으로 사랑을 느낀 날과 행복을 느낀 날을 기억해. 해수면 위로 떠오르던 발끝을 기억해. 우리의 헛되지 않은 믿음을 기억해. 네가 알려준 사랑을 기억해.
하나뿐인 너를 기억해.

2025년 2월

너한테 남기는 마지막 말 한마디도 무얼 쓸지 몰라서 몇 날 며칠을 펜을 붙들다 놓는 걸 반복했어. 무슨 말을 적어야 네가 안 아플까 나를 떠올리지 않을까. 미안해.

2025년 2월

우현이도 이안이도 잊을 수가 없나 봐. 놓을 수가 없나 봐. 붙잡고 싶은데 잡히질 않나 봐. 무서운가 봐 두려운가 봐. 너를 정말 남몰래 나 몰래 사랑했나 봐,

2025년 3월

있잖아, 상사화는 꽃이 필 땐 잎이 없고 잎이 있을 때는 꽃이 없어서 잎과 꽃은 평생토록 한 번도 만나지 못해서 상사화라고 불린대. 네가 도착했을 때 내가 없다면 우리는 분명 상사화가 맞나보다.

사랑해.

파도가 사랑을 말하는 순간에

"여보세요?"

국제 발신으로 걸려 온 전화를 받았다. 익숙한 목소리가 들렸다.

▸ 이안아, 잘 지내고 있지?

"네. 엄마도 잘 지내고 계시죠?"

거의 1년 만에 엄마에게 걸려 온 전화였다. 오랜만에 들은 목소리는 힘이 없었다.

▸ 응. 엄마도 잘 지내고 있지.

엄마의 대답 후엔 말이 없었다. 더 이상의 말이 생각나지 않았다. 단순한 물음도 생각나지 않아서 정적만을 들었다.

▸ 그, 이안아.

"네."

▸ 아직도 하람이 찾아다니는 거 아니지?

망설이다 묻는 말은 늘 뻔했다.

"엄마."

▸ 이안아. 그만해야지. 이제 그만하고 네 인생 살아야지. 응?

"그건 엄마가 상관 쓸 일 아니라고 말씀드렸잖아요."

▸ 주위 사람들한테 아들 괜찮냐고 연락이 그렇게 온다. 엄마도 아들 걱정 좀 하자. 사람 죽이고 교도소 들어간 사람의 딸을 그렇게 찾아다니고 감싸줘야 해? 너 이러다가 다치면 엄마 마음은 어떻겠어?

엄마 마음을 알면서도 마음을 추스르기에 어려웠다.

“제가 엄마랑 아빠 외국에서 살겠다고 하셨을 때 뭐라고 했어요? 두 분 선택 받아들이고 잘살고 계시라고 한 거뿐이잖아요. 엄마는 그게 어려워요? 내 선택을 받아들이는 게 어렵냐고요.”

흐느끼는 엄마의 울음이 들려왔다.

▸ 이안아 엄마도 이안이가 뭘 선택하던 이해 하고 존중해. 그렇지만 이것만큼은 엄마 마음을 이해해 주라. 이안이가 아픈 거 엄마는 원치 않아.

새엄마가 한 번도 이런 적이 없었는데. 비극을 받아들이기 어려워하는 것 같았다. 겁도 없이 덤빈 세상에 다칠까 두려워 아들을 감싸려는 마음을 알면서도 나는 외면했다.

“엄마 이건 내 일이에요.”

▸ 이안아.

“바빠서 먼저 끊을게요. 죄송해요. 밥 잘 챙겨 먹어요. 전처럼 아프지 말고 제가 나중에 전화드릴게요.”

전화가 끊긴 휴대폰을 침대로 던졌다. 새엄마는 늘 이런 식으로 주변 시선에 영향을 많이 받았다. 당연히 나를 대하는 게 아직 서툴고 어려워서겠지.

하람이의 사진을 부여잡고 울던 날, 엄마가 방에 들어와 나의 등을 토닥여주셨다. 새엄마는 나에 비해 너무 좋은 분이셨다. 좋은 분이라는 걸 알면서도 나는 계속 부모님 마음에 대못을 박았다. 못된 말만 골라 뱉어도 엄마는 나의 위로가 되었다.

"우현아."

과거에 얽매이기 싫다는 나의 말에 이안이 아닌 우현이라는 이름으로 토닥이는 새엄마의 손길이 밉고 또 원망스럽다가도 이 모든 게 후회가 되질 않아서 많은 영향을 받았다.

아마도 하늘에서 나를 내려다보던 엄마도 새엄마와 같은 마음이 아니었을까. 아, 다른 게 있다면 엄마는 이런 나를 정말 사랑꾼이라고 생각할 수도 있었겠다. 아빠는 한 여자만 바라보는 상남자라며 자기를 쏙 빼닮았다고 하고 있을지도 모르겠다.

새엄마와 새아빠한테는 너무 죄송하지만 나는 내가 가장 사랑하는 모든 것들을 잃어서 그들의 말을 들어주지 못한다.

하람이가 떠올라서. 불안이 커져서. 하람이는 지금 괜찮은지 밥은 먹었는지 온갖 걱정거리가 내 머릿속을 메웠다. 내가 찾은 하람이는 정말 어디에도 없었다. 꼼짝도 못 하고 사라져 버린 건 아닐까. 그 누구도 아저씨도 하람이도 찾지 못했는데. 학생 신분이 내가 이들을 찾아낼 수 있을까.

🖂 새엄마

[이안아 엄마는 이안이 네가 너무 걱정돼서….]

하람이의 기대에 못 미치는 건 아닐까.

점점 봄은 다가오고 있었고, 하람이의 생일 또한 가까워지고 있었다. 이번 생일에 함께 모교를 가기로 했었는데. 쓰인 버킷리스트가 거슬렸다. 혹시 아저씨가 이거까지 계산한 것 아닐까. 복잡한 생각이 머리를 헤집었다.

✧

꿈을 꾸었다. 거북이의 폐가 짓눌려 죽는 꿈. 하람이의 이름을 세 번 부르고 잠에 들었다가 식은땀을 흘리며 꿈에서 깨어났다. 기대를 안 했던 건 맞지만 왜 이런 꿈을 꾼 것인지. 한숨을 내쉬며 자리에서 일어났다. 해가 지고 있었고 주황빛으로 물든 하늘이 눈에 들어왔다.

꿉꿉한 몸을 씻으러 화장실로 향했다.

"……"

향이 코끝을 스쳤다.

집안 곳곳에 하람이의 향이 맺혀있었다. 분명 하람이의 향이었다.

"봄하람."

곧바로 하람이의 이름을 외쳤다.

"하람아!"

떨리는 목소리만이 들릴 뿐, 하람이의 목소리는 들리지 않았다. 분명 하람이의 향이 맞는데. 신발장에도, 화장실에도, 거실에도. 하람이는 존재하지 않았다. 하다 하다 향까지 잘못 맡은 건가 싶어서 내가 정말 미쳐간다는 걸 깨달았다.

하람이를 만나고서 정말 행복한 나날을 보냈는데.

어느샌가 점점 망가져 가고 있었다. 이건 하람이의 문제가 아닌 오로지 나의 문제였다. 꿈을 놓아버린 소녀와 너무 많은 사랑을 나눈 것 같았다.

거실로 돌아와 소파에 앉으려니 까먹은 게 있다는 걸 깨달았다. 혹시 모른다는 생각으로 급히 부엌으로 달려가 냉장고를 확인했다. 붙여두었던 버킷리스트가 눈에 들어왔다.

~~백우현이랑 다시 만나기~~

백우현이 세상에서 제일 행복하기!

꾹꾹 눌러 담은 하람이의 글씨가 보였다. 엊그제 적었던 나의 꿈에서 멈춰버린 버킷리스트는 새로운 소원을 담고 있었다. 벅차오르는 눈물을 참을 수가 없었다.

자는 사이 하람이가 다녀갔다는 뜻인데. 왜 안 깨운 걸까. 고작 이런 말 하나 적는다고 내가 행복해질 것 같았을까.

너 없이 아무것도 할 수 없는 내가 되어버렸는데. 넌 이걸 소원이라고 적어둔 걸까.

냉장고에 붙어있던 종이를 떼어냈다. 번져버린 종이 뒤로 글씨가 비쳤다. 버킷리스트 뒤편엔 짧은 편지가 쓰여 있었다.

To. 파도가 사랑을 말하는 순간에 우현이에게.

편지봉투 안에는 둥근 글씨체로 적힌 편지와 하람이와 함께 찍었던 사진이 붙어있었다.

To. 파도가 사랑을 말하는 순간에 우현이에게.

파도가 일렁이는 날에 자살을 선택한 건
사랑에 빠져 죽고 싶어서

정말 사랑이 바다라면 깊은 바다에서 나를 찾아줘

파도와 입을 맞출 때
너무 깊은 사랑에 빠진 건 아닐까

푸른 바다가 되었을 때
너무 오래 일렁이는 건 아닐까

사랑을 맛보고 끝을 몰라서 바다를 선택한 건
고래의 밥이 되고 물고기의 배를 채워주기 위함이 아니라는걸

파도는 한결같이 어여쁜 윤슬을 보여주기에
끝없는 사랑에 빠지기로 약속했고 그런 너를 많이 사랑했어.

너를 놓은 것도, 내가 세상에 진 것도 아니야.

우리의 사랑은 바다가 계속해서 일렁이는 것처럼
언제나 함께라는 걸. 고여버린 사랑은 영원하다는 걸 알잖아.

고여버린 사랑이 영원하다는 건 누가 알려준 걸까. 고이고 고여서 넘쳐버리면 결국 흘러가 흩어질 사랑인데. 구겨지는 우리의 꿈들을 손에 담았다.

하람이의 선택이 우스갯소리로 들렸다. 파도에 비롯된 우리의 사랑은 어째서 어여쁜 단어를 엮어둔 이별이어야 하는 걸까.

제발 마지막이 아니길 빌었다. 자살을 선택한 네가 이별을 고했음에도 등신같이 희망을 품었다. 이별이 아닌 너의 살려달라는 신호겠지. 내가 오기 전까지, 찾기 전까지 끝까지 기다린다는 거겠지. 유서가 아니겠지. 네가 나열한 어여쁜 말들이 우리가 만날 수 있는 신호가 되기를 등신같이 빌었다.

하람이가 있을 곳을 향해 달렸다. 신이 나에게 준 마지막 기회라는 생각으로 바다로 향했다.

하람아, 여기는 낙원이 아니야. 네가 생각하는 이 낙원은 생각보다 깊고 넓어서. 빠져나갈 수도 없어. 숨이 턱턱 막혀. 정신을 잃을 것 같아.

우리의 사랑은 닳고 닳아서 매번 같은 운명임에도 행복의 저울질로 함께 사랑을 누볐어. 우리라는 말로 사랑을 숨겨오면서 너와 하고 싶은 모든 것을 이루려 침묵의 건널목을 걸었지.

아려오던 아픔이 이런 고통인 줄 알았더라면 익숙해지기 전에 떠나버릴걸. 더 가까워지기 전에 멀어져 볼 걸 이런 생각을 하다가도 놓지 못한 게 아닌 놓지 않았던 거니까 후회는 없었어.

우리의 사랑은 파도와도 같아서 어떤 날엔 잠잠했다가 또 어떤 날에 거칠었다가 고요함에 파묻혀 서로의 목소리만 들으며 잠길 수 있었는데. 어쩌자고 위험한 바다를 사랑했을까.

너를 편히 놓을 수 있으면 좋았을 텐데. 어리석은 나는 너를 울리고도 놓지 못하겠다. 몹쓸 개그에 웃어주고, 나의 미소에 따라 웃던 네가 계속 떠올라. 나를 괴롭혀. 너의 미소 하나가 나라는 사람을 행복으로 감싸줬는데. 그 공간은 울적하면서도 좋았어. 심장은 미칠 듯이 쿵쾅거리고 맥박은 쉴 틈 없이 뛰어댔어.

홀로 남은 빈껍데기는 아무것도 될 수 없단 걸 이제서야 깨달았어. 신이 내린 운명마저 받아들일 수 없어, 너를 붙잡았던 그날이 떠오르는데. 나는 운명을 바꾸고도 너를 살리지 못했어.

아직도 너의 온기가 남아있는 것 같은데. 아직도 너의 목소리가 뚜렷한데. 서서히 잊힐 우리의 메아리가 나는 너무 두려운데 어떡하지. 사랑하는 너를 놓을 자신이 없는데. 어떡하지 하람아. 문득 스쳤던 너의 향이 나의 코끝을 스쳤을 때 너를 돌려받을 수 있을 거라 자부했던 내가 잘못일까. 함께 걷던 골목길과 함께 나누던 행복은 아직 여전한데. 우리는 왜 우리가 되지 못하는 걸까. 우리가 만든 사랑은 왜 떠돌이가 되어버린 걸까.

내가 그때 너를 혼자 두지 않았더라면. 너는 지금 내 곁에서 숨을 내쉬고 있겠지. 옆에 앉아 노래를 흥얼거리며 따뜻한 차를 나누어 마시고, 아무도 없는 한적한 거리에서 슬러시를 사다 먹으며. 시원한 밤거리를 걸었겠지. 밤하늘에 떠 있는 별들을 바라보며 우리라며 웃었을 거야.

모든 게 나의 업보인데 받아들여지지 않아. 우리는 아직 제자리를 찾지 못한 조각들인데. 정말 이대로 떠나가도 되는 걸까. 멀어져도 되는 걸까. 우리가 아니더라도 혼자더라도 그래도 되는 걸까.

네가 떠오르는 날에 함께 걷던 곳을 걷다가 죽어버리면 어떡하지. 네가 생각나면 어떡하지. 어떻게 해야 할지 도저히 감이 잡히지 않아. 무서워. 두려워. 평생을 죄책감에 몸부림치며 살 것 같아. 보고 싶다고 나도 모르게 울부짖을 것 같아 하람아.

이럴 줄 알았으면, 사랑한다고 말해주는 너한테 내 온기를 더 나눠줄걸. 나도 사랑한다고 말해줄걸. 네 말에, 행동에, 동조할걸. 너를 너무 사랑해서 그럴 수 없었던 건데. 그냥 사랑한다는 말이 닳을 때까지. 질릴 때까지 네게 속삭일걸. 나는 이런 후회를 하면서도 사랑한다는 말 한마디가 어색해서.

그저 후회만 하고 있네. 이성의 감정이 뚜렷해지는 순간 너무 많이 망가져 버렸다. 사랑해. 사랑해, 하람아.

너를 너무 사랑해. 봄하람.

우리가 만났던 장소에는 내가 쥐여준 윤슬과 하람이의 신발이 놓여 있었다. 믿기지 않아서 하람이를 불렀다. 목 놓아라 하람이를 불렀다. 한 달 만에 부른 이름이 왠지 모르게 낯설었다.

바다 곁에 머문 너의 사랑을 불렀기 때문일까.

네가 사랑하는 모든 것들은 왜 이리 위험한 것들인지.

작은 종잇장을 들고 천천히 바다 곁으로 다가갔다. 차가운 바다가 나를 반기고 움직임에 따라 물결을 만들었다. 어둡던 시야엔 그토록 찾던 하람이가 보였다. 해맑은 미소로 나를 향해 손짓하는 그 애 주위로 빠져들었다.

손에 들린 그림은 젖어가고 내가 담은 윤슬은 바다에 도파민이 되었다.

하람이와 손을 맞잡고 바닷속으로 빠져들었다. 점점 깊은 곳으로 빠져들고 문득 깨닫는다. 절망적인 사랑은 정말 지독하다는 것을.

내 눈에 보이는 너는 내가 만들어낸 환영일까. 정말 하람이 너인 걸까. 환상일지라도 너를 만난 이 순간 행복을 말할 수밖에 없었다. 파도가 사랑을 말하는 순간에 수침됐다. 끝이 보이지 않는 공허로 가라앉았다. 정신이 아찔해졌다.

하람아. 끝까지 네 곁에 남아서 꾸역꾸역 썩은 핏물을 받아먹고 아리따운 널 가져서 잠깐 아플게. 내가 찾아 헤매던 너를 결국 만났으니까. 우리 이 일렁임에 몸을 맡겨 춤을 추자. 봄날에 왈츠도 여름날의 꿈들도 사랑에 접어두자. 우리가 적었던 꿈속에 시원하게 젖어 들자.

사랑해.

널 너무 사랑해.

소원의 유리병을 잊은 지 오래였다. 아무리 눈을 감아도 눈속으로 들어오는 바닷물이 따가워 인상이 찌푸려졌다. 점차 깊은 바닷속으로 빨려 들어갔다. 수심 아래 가장 어두운 곳 우리가 머물 자리를 찾았다. 소박한 나의 꿈들도 인어의 전생도 우리의 사랑도 흘러간다.

사랑하는 나의 바다야.

온전한 바다를 담은 나의 소라야.

널 잃을까 두려워했던 날 잊지 마.

품어줘. 사랑해 줘.

오늘은 파도를 사랑하지 않기로 해.

파도가 너무 거세더라.

너 없이 나 혼자 와서 심술이 났나 봐.

작가의 말

<파도가 사랑을 말하는 순간에>는 우리 곁에서 쉽게 접할 수 있는 바다를 주제로 집필된 소설입니다.

어긋난 사회에 지쳐버린 사람들을 보다 어떠한 형태의 행복이던 내가 택하는 행복이 정말 살아남을 수 있는 마지막 기회라면 그것도 잘한 선택일까라는 궁금증을 시작으로 적게 되었습니다.

여러분들은 자신만의 가치관과 각자의 사연을 가진 사람들입니다. 주위 사람들과 공통점이 있다면 똑같은 사회에서 살아간다는 공통점이 있다고 생각합니다. 여러분들의 공감이 되고 싶어 쓰게 된 걸지도 모릅니다. 사실 나에게 제일 해주고 싶었던 말을 소설로 풀어 적은 걸 수도 있습니다.

<파도가 사랑을 말하는 순간에>는 서로 너무나도 다른 가치관을 가진 하람이와 우현이가 삶을 살아가는 방식에 대한 응답을 들려주는 구구절절한 둘의 사랑이 담긴 성장소설입니다.

마무리에서 제가 보여드리고 싶었던 건 사람은 결국 실패한다는 것이 아닌 사람은 성장을 해도 실패를 겪는다는 것을 말하고 싶었습니다. 도전에 이유가 있듯이 실패에도 이유가 있습니다. 실패에 근원지는 모두 도전에서 나오고 저는 여러분들이 하신 선택을 후회하지 않으셨으면 하는 마음에 적어 내린 페이지가 많습니다.

작가가 만드는 세계는 하늘을 날고 싶다면 두 팔 벌려 손을 휘젓는 순간 날아다니는 새와 인사하고 몽실한 구름을 맛볼 수 있습니다. 또한 원하는 곳으로 순간이동을 하고 싶다면 눈을 깜빡임과 동시에 시끌벅적한 놀이공원으로 사랑했던 그 시절에 기억으로 바람보다 빨리 이동할 수 있는 곳이 작가가 만드는 세계입니다. 제가 만든 세계가 마음에 드셨을지 모르겠습니다.

비록 하람이와 우현이의 마무리는 하늘을 날아다니고 원하는 곳으로 순간이동을 할 수는 없었지만, 이 또한 이들의 선택과 생각이 들어간 행복한 결말이라고 생각합니다. 여러분들의 선택이 하람이와 같더라도 죽음이란 부정적인 단어로 여러분만의 성공을 이루시길 또한 택하시길 바랍니다.

글을 쓰는 도중 뻔한 사랑 얘기를 너무 길게 늘어놓는 건 아닌가 걱정했습니다. 제 걱정이 무색하게도 끝까지 괜찮다며 다독여주시고 응원해 주셨던 부모님께 감사하다는 말씀을 두 손 모아 진심으로 전해드리고 싶습니다.

세상에 <파도가 사랑을 말하는 순간에>가 나오기 전 응원을 해주던 친구들과 피드백을 해주던 친구들까지 장장 몇 개월이 넘는 시간 동안 다양한 방식으로 힘이 돼줘서 고마웠다는 말을 전하고 싶었습니다.

여러분의 바다는 잔잔하고 영원히 찬란하길 간절히 바랍니다.

우리가 만나는 날에 또한 우리가 되는 날에 파도가 사랑을 말하는 순간에 빛나기를 언제나 빌겠습니다. 여러 계절을 사랑하는 법을, 오가는 바다를 보내줄 수 있는 법을 터득하는 여러분이 되셨으면 좋겠습니다.

2025년 2월 1일 겨울

김바다